Mémoires
du goût

Marie Rouanet

Mémoires
du goût

Albin Michel

Notre bouche est une chambre enregistreuse autant qu'une chambre d'échos.

Les yeux, les oreilles, le nez, attendent à la porte de cette muqueuse jouissante, avec la langue exploratrice qui ne se contente pas de mener les aliments sous la meule des dents mais tâte, plus fine que les doigts ou la paume de la main.

A chaque bouchée, ces sens qui veillent font vibrer de vieux échos, emmagasinent des images, des sons, des touchers, des émotions dans le plus profond de la chair.

Le goût est le seul de nos sens qui oblige à prélever une portion du monde pour l'intégrer dans le sang, le muscle, les humeurs. Le regard, comme dit le populaire, « ne vole rien », non plus que l'ouïe. Par eux nous recevons, sans cesse, des informations que nous accumulons, mais ce qui est autour de nous ne subit pas grand dommage. Manger, en revanche, nous transforme en prédateurs qui tranchent et taillent, défrichèrent, rasèrent des forêts, dominèrent la bête, la chimie, imposèrent des chemins à l'eau. Par la bouche, pour elle, nous avons modifié la planète.

Pour la bouche nous devenons magiciens, nous magnifions le morceau prélevé pour le profit et le plaisir de la chair vivante, ce corps qui ne cesse de se détruire et de se refaire, de se construire avec ce que nous mangeons, digérons et qui monte à l'esprit, au cœur, à la mémoire précise ou inconnue, opaque et forte.

Cette magie guérissante, poétique, philosophique et morale autant que nourrissante, c'est la cuisine.

Cuisine, le mot est riche de sens. Il désigne aussi bien un savoir-faire, que le lieu où il s'accomplit, que l'art d'une personne donnée ou celui d'une région, d'un pays

— cuisine de Marie, cuisine auvergnate, cuisine de femmes, cuisine de chefs.

Le premier aliment est unique, à l'image de Dieu, unique et incarné.

De ce lait maternel qui m'a nourrie jusqu'à seize mois je ne garde aucun de ces souvenirs, que l'on rappelle et caresse. Il est là, pourtant, dans la mémoire diffuse, liant pour toujours la nourriture à la chaleur du corps maternel, à un lieu parfaitement tutélaire.

A chaque gorgée de lait se déposaient en moi les odeurs divinement humaines de cette cuisine où ma mère tenait mon berceau.

Pour que je puisse commodément saisir son sein, elle en pinçait l'aréole entre l'index et le majeur. Elle avait coupé du persil, épluché de l'ail, et bien qu'elle se fût lavé les mains je goûtais déjà aux condiments ; elle avait ciré les souliers et il me venait la senteur volatile de la térébenthine ; elle avait bu le café frais et en gazouillant pour moi m'en communiquait l'essence ; ses cheveux d'avoir tourné la crème en gardaient quelque senteur vanillée. Des parfums d'aisselles, de savon de Marseille, de lait de femme un peu suri pénétraient en moi avec ceux du chou, de l'oignon, de la fraise et de la tomate.

La langueur blanche et molle qui s'empare de moi au moment de la satiété, cette indulgence universelle qui, à la fin des repas porte à la tendresse et aux confidences, c'est probablement le flot de lait qui nous baigna – couleur d'opaline un peu bleue, saveur d'amande fraîche.

Je suis de ces enfants que l'on sevra en leur présentant un morceau de pain. Je le détrempai de salive, je le défis lentement et participai avec lui à la totalité de ce que le monde offrirait à ma gourmandise.

De l'Un, je passai à l'infinie variété que l'odorat m'avait fait présager. Car le pain contient les quatre éléments : le blé, et le sel de la terre, l'air actif du levain, l'eau et surtout le feu.

Le feu est à l'origine de la vraie cuisine et de toute la gastronomie. Si avant lui on peut imaginer des festins de chair, de sang, de foie, de fruits, de poissons crus, de jeunes pousses grignotées, d'os récurés, frappés d'un caillou pour en aspirer la moelle, après lui s'ouvre le champ de tous les possibles. Le pain symbolise cet agrandissement : la pâte molle et compacte, collante, est transformée en deux aliments également délicieux : la croûte et la mie. La croûte, c'est le feu vif qui fige et noircit sans donner à l'air le droit d'exister, la mie c'est le feu adouci pénétrant lentement, travaillant la matière, laissant éclore ces bulles qui deviendront les yeux du pain.

Qu'y a-t-il d'autre dans l'art culinaire que le jeu de la chaleur et des épices ?

Le feu rend tendre le coriace, racine ou viande, exalte et change les goûts selon sa force. Rien de commun entre un gigot de sept heures et le même gigot saisi dans un four. Le feu renouvelle le banal, il gratine ou flambe. Parfois il effleure durement mais laisse le cœur frais et quasi cru : tomates, tourne-retourne dans l'huile bouillante, jeunes artichauts plongés dans la friture. Parfois il détruit jusqu'à la fibre des viandes et des légumes.

Les condiments ajoutent un luxe savoureux. Pour eux, tout est question de dosage subtil. Une des images les plus fortes des gestes de ma mère c'est quand elle mesurait le sel, le poivre, le café. Elle se servait des doigts mis en bouquet ou du creux de la main comme d'une balance délicate et précise, ou d'un verre qu'elle portait à la hauteur de ses yeux pour voir si elle avait la bonne dose de trois-six. Les épices se mêlent et se mesurent comme les harmonisations musicales.

A partir du pain, art de la juste mesure, je m'avançai vers les multiples nourritures que m'offrirait la vie. Rien, finalement, ne pourrait être surprenant, simplement ce serait plus ou moins délectable.

Si les nourritures de l'enfance sont totalement inoubliables, c'est que d'autres sont chargés de les élaborer. L'enfant ne songe qu'à consommer, il ne sait rien des budgets à boucler, des prix, des efforts déployés. Il est dans l'innocence économique. Ce repas préparé offert à sa faim plusieurs fois le jour, il l'éprouve comme une magie légitimement créée pour lui.

Magie blanche, sans mystère et toute bonne qui se déroule sous les yeux et accomplit des prodiges.

Elle a lieu dans un espace réel, mais aussi temporel et mental, qui pendant des millénaires fut une pièce unique. Encore au milieu du XXᵉ siècle, dans le monde rural, la cuisine est l'unique endroit où tout se déroule : dormir, se chauffer, parler, cuisiner bien sûr, mais aussi coudre, lire et recevoir. Peu à peu, mais lentement, les pièces se sont différenciées. Les chambres pour commencer. Mais mon oncle Charles, vieux et fragile, dormait dans l'alcôve de la cuisine, mais le pépé Rouquette pour les mêmes raisons dormait dans un lit installé face à la cheminée. Les autres, les solides, partaient dans les chambres non chauffées en emportant une bouillotte, ou une brique brûlante emmaillotée de chiffons, comme ils auraient emporté un peu de chaleur de la vraie maison pour sécuriser leur sommeil.

Car la vraie, la seule maison c'était la pièce unique, tutélaire et chaude comme un sein maternel, garnie de pots dont aucun ne contenait ce qu'annonçait son étiquette. « Galette au beurre », chez moi, encore enferme plusieurs sortes de poivres ; « Thé Earl Grey », des lentilles ; le pot à tabac bien ventru garde la noix muscade, ce caillou presque inusable, le safran en pistil, l'écorce d'orange séchée ; un ancien pot à pharmacie est rempli de cèpes secs ; un autre, en aluminium, toujours terne et poisseux du gras inévitable des cuisines, dont l'étiquette de cuivre annonce : « Thé », contient des mousserons. Le plus petit de la même série, alu et cuivre, est assez grand pour les baies de genièvre – bonnes au porc rôti. J'ai toujours trouvé poétique et ésotérique ces mystères du contenu des boîtes. Comme si celui qui sait, se plaisait à brouiller les pistes. Pots et boîtes sont les ornements des cuisines et brillent de leurs contenants hétéroclites et de leur contenu inconnu. Les torchons, les tresses d'aulx, de piments, les casseroles, sont les blasons des cuisines avec les bouquets de cuillères, les salières, les compotiers et les bocaux transparents qui, au contraire des boîtes métalliques et des pots, sont des vitrines sans secrets.

Déjà l'abri sous roche était ainsi : le seul lieu où entreposer, se refaire et se reposer, lieu des femmes, plus sédentaires, ralenties d'enfants. Ralenties mais non point oisives. Accomplissant des milliers de gestes du lever au coucher pour l'utile et l'indispensable inutile. Non seulement manger mais avoir plaisir. Non seulement être couvert mais être beau. Non seulement dormir mais dormir sur une couche et bercé d'un conte ou d'une mélodie.

Mon père avait dans la cuisine une place particulière. Au seuil du royaume. Il rapportait de ses chasses ou de ses pêches des produits qui venaient d'une nature intouchée : lapins, perdrix, poissons musculeux dans des poignées d'herbes. Ces bêtes encore pleines de leurs viscères, couvertes de plumes, d'écailles ou de poils, rendaient plus admirable encore la transformation du brut en comestible.

Ma mère, elle, était au centre.

Et au centre du temps. Il y avait le temps ordinaire des jours et des semaines. Le lundi ou le mardi le râble du lapin rôti, comme caramélisé, serait servi accompagné de gousses d'ail dont le cœur sortait entre les dents qui les écrasaient, assorties d'un jus parcimonieux mais sublime. Deux jours plus tard – et le temps entre les deux préparations était immense, il y avait eu l'école, on avait mangé d'autres choses, c'était jeudi, on rentrait du catéchisme –, le « devant » était fricassé en « poulette », les poumons imbibés de sauce crémeuse. Les côtes fines comme des aiguilles, je les débarrasserais du peu de chair qui les habillait en les suçant l'une après l'autre. Il y avait les joues et la mirifique cervelle, les vertèbres du cou et la moelle épinière. D'autres textures, d'autres goûts. Il arrivait, car les lapins étaient nombreux, que ma mère fît un pâté, une terrine qu'elle couvrait de graisse et gardait pour la semaine suivante.

Mais il s'ajoutait d'autres temps, plus vastes, à l'économie hebdomadaire. Le temps d'hier. On se souvenait de *tel* pâté qui restait comme un millésime. On l'avait préparé pour honorer un gibier exceptionnel, un faisan par exemple, et je revois le foie entier noyé dans une farce un peu verte. Ou bien ma mère sortait un bocal de l'année précédente. Des demi-tomates qu'elle farcissait. Des abricots au sirop. Des haricots verts. Elle annonçait : « Ce sont les derniers. » Mais déjà le printemps riait et on avalait les dernières tomates comme l'on jette la saison écoulée. Ou bien on se projetait dans le futur. « Quand même, disait-elle à mon père, si tu amènes un perdreau un peu vieux, je l'essaierai au chou. » Ou : « Je me lancerai dans un salmis. » Ou : « Tant pis, on laissera bien, une fois, faisander une bécasse. »

Le temps, c'était aussi celui qui tournait avec les saisons, l'arrivée des crevettes grises, des crabes de rochers, des moules – avec les mois en « r » –, de la courge, le temps des légumes secs, de la morue. Et celui imprévisible de demain, d'un futur où, peut-être, on pourrait goûter à ceci ou cela, de trop cher, d'inconnu.

Les femmes de mon enfance se tiennent dans la cuisine, ce ventre où naît le plus réel, ce qui se croque, se savoure dans un temps bien réel, où naît aussi l'imaginaire qui mêle et coud les temps les uns aux autres en une farce – ou un mille-feuille de mémoire.

Ma mère, j'étais sûre d'elle. J'ai toujours trouvé à portée de ma main, à portée de ma faim éveillée d'heure en heure au cours du temps de classe ou de jeu, ce qu'il fallait pour la combler.

Je courais vers la maison et ma première question était pour m'enquérir :

« Tu as fait quoi pour manger ? » Il y avait toujours quelque chose, toujours, et toujours délicieux. Cette fidélité était l'un de mes amarrages.

Les soirs, comme je serais présente au mystérieux accomplissement du repas, la surprise serait moindre. Les odeurs, les bruits – rissolements légers, bouillon des soupes, eau qui coulait goutte à goutte sur la salade – me renseignaient. L'attente devenait désir et gourmandise précise.

Ma grand-mère est là, cuisinière du temps exceptionnel des vacances. La maison où elle vivait dans une rue du vieux Béziers, avec sa sœur et mon grand-père, était minuscule. La seule pièce où l'on pût se tenir, manger, cuisiner, jouer, comportait un évier enfermé dans un placard et dans un coin, tout carrelé de faïences blanches et bleues, dans un renfoncement si sombre qu'une loupiote était nécessaire, il y avait le fourneau et le gaz comme dans une sorte de théâtre sacré. Grand-mère était servie par Victorine, très petite, à demi aveugle, et cette menue silhouette attendait à un pas en arrière que sa sœur tende le bras. Elle y posait une fois le pot de farine, une autre fois une casserole d'eau, la plus petite de la série, presque un jouet, ou présentait le sel. Les gestes lents, les officiantes découpées sur le fond éclairé sont inséparables des tomates farcies et des mirifiques beignets à la crème. Dorés, ils s'ouvraient sur un cœur liquide. Comment faisait-elle pour « enfermer » une matière fluide dans une enveloppe croustillante, fragile comme verre ?

Les religieuses de la colonie de vacances, elles aussi, habitaient cet espace de la cuisine, spatial et imaginaire.

C'était l'été, toutes les fenêtres étaient ouvertes sur le jardin où nous jouions et les volets du réfectoire fermés à la clef. Les sœurs cuisinaient et servaient protégées de tabliers à bavette et de manchettes immaculées. Il y avait une contradiction entre l'éclat blanc de ces vêtements et la cuisine pour laquelle toutes les femmes de ma connaissance s'enveloppaient de tabliers bleu sombre où les taches étaient moins visibles. Mais n'était-il pas impossible que des religieuses se tachassent ? Elles créaient des frites qui n'étaient ni celles de la maison ni celles de la foire. Elles assaisonnaient les plats de légumes de cochonnailles diverses qui tenaient lieu de viande, et les plats plus grands que des bacs à vaisselle, les miches énormes qu'elles débitaient ajoutaient à des mets ordinaires des saveurs originales. Des sensations de zénith, de soirées presque froides, le silence des dortoirs, les voix mêlées de la prière du soir, tout donne goût à la soupe et aux frites de la colonie, de même que l'évier-placard et le souffle qui venait du tuyau d'évacuation des eaux – une respiration –, le jeu de nain jaune, le pic et repic de la pendule, la présence de ma cousine, participent aux fameux beignets à la crème.

Au point qu'on se demande quelle place exacte occupe le renseignement des papilles gustatives et du nez, saisis qu'ils sont par toute l'épaisseur de l'être. C'est maintenant que je fouille dans ce qui se passait en moi, alors je n'y songeais pas, j'étais tout au plaisir et je l'exprimais sommairement en disant « j'aime », ou « j'adore », ceci ou cela. En réalité, la nourriture était – et demeure – traversée par la vie tout entière et la vie scandée par cet immense mouvement, qui, trois fois le jour, porte vers la table, vers le lieu de l'élaboration culinaire.

Ma mère s'y activait, à la fois utile et incantatoire. Elle plaçait les rideaux neufs, tournait la confiture, lisait le feuilleton du journal, triait, tricotait, frottait les meubles – et le meuble principal : la cuisinière –, savonnait, repassait le linge dans une odeur unique de matin frais, faisait bouillir la lessive avec les mêmes gestes que ceux de la cuisine : soulever le couvercle, faire attention aux gouttes d'eau, touiller avec une grosse cuillère en bois, elle épluchait, dosait le sel et l'huile, chantonnait en même temps que la radio, et parlait. Parlait de tout, des voisins, de ce qui se disait au poste des nouvelles du monde. Il n'est pas étonnant qu'en travaillant pour la bouche, la bouche parle.

Après sa mort, j'ai emporté chez moi le plat émaillé rectangulaire, rouge à l'extérieur, chiné à l'intérieur où elle préparait les macaronis au gratin. Mais sans grande conviction ni espoir. Il me manque définitivement des ingrédients : l'encre violette des devoirs du soir, les dates d'histoire, la litanie des tables de multiplication et des départements, les cahiers Calligraphe, et les images de ces magazines enfantins devenus antédiluviens dès que l'on a cessé d'être un enfant. Ce que disent mes sens, ce que dit ma mémoire sont tellement liés que je ne sais plus ce qui est la stricte donnée du goût et ce qui tient aux images multiples du souvenir revisité.

Était-ce bon parce que quelques minutes avant de m'asseoir à table je lisais tel roman, parce que, avec soulagement, je constatais que je savais ma leçon par cœur, que la preuve par neuf était juste, ou tel roman est-il resté cher à mon cœur à cause d'une cocotte de petits oiseaux qui chantait sur la cuisinière ? Les éléments sont là en réseau touffu et l'important est la liesse d'hier et celle en écho qui envahit, à y songer, le corps et l'esprit.

Cette certitude que quelqu'un accomplissait une action tellement nécessaire : préparer à manger, était si forte que pendant la classe, au bord de ma conscience, la matinée maternelle créait un filigrane très doux, léger et pourtant capable de me porter. Quelque chose se jouait, parallèle à moi, se déroulait sans faiblir. Des images mouvantes passaient à côté du jeu ou de l'étude. L'onglée aux mains de ma mère, son vieux manteau « pour tout aller », le foulard sur ses cheveux, les fruits éclatants de l'hiver, le poisson raide et bleu à l'œil vertigineux, le peigne de côté dans ses cheveux blonds, le poids du cabas, le chemin du retour des commissions qu'elle effectuait toujours en courant, et, comme elle disait, « le coup de feu », quand, arrivée à la maison, il fallait faire vite pour que tout soit prêt à l'heure.

Trier dans la symphonie de sensations qui viennent peupler l'imaginaire lorsque arrive un plat, que je l'évoque ou le raconte, ce qui est une fois une image – la petite maison qui était la nôtre écrasée par l'été et la tomate solaire –, une autre fois un son – celui, au matin, de la fonte du fourneau heurtée, du pique-feu qui fouillait dans la grille pour faire tomber les scories –, une sensation tactile – la pomme fraîche, presque froide, emplissant ma paume –, un paysage – la garrigue secouée de vent en février et les asperges en botte humide dans la main –, isoler un seul élément est vain.

Ils s'appellent l'un l'autre, se répondent, résonnent ensemble et seuls les sentiments qui s'y mêlent sont imparfaits, parfois douloureux.

Car si les sensations peuvent satisfaire

pleinement, reste en mineur ce cœur insatiable, son inquiétude étonnée d'être au monde, la certitude que tout fuit et s'efface, la quête d'ailleurs qui détourne du présent.

Dès que le repas était fini, ce repas de midi que dans le Sud nous appelons dîner, avant même de débarrasser, ma mère préparait mon goûter.

Le goûter est la manne sucrée de l'enfance, une dérogation aux lois qui régissent la table familiale.

Il se déroule d'ailleurs sans table, loin des regards adultes le plus souvent. Il tombe du ciel dans la cour de l'école, sur les plages de l'été, au bord des rivières, dans les prés, dans un coin de la maison chaude au cœur de l'hiver. Il a un goût de jeu. Marelles, rires, refrains psalmodiés le traversent. Qu'il se compose de pain beurré ou confituré, de biscuits fourrés, de barres diverses, sa saveur est enfermée dans une bulle de verre transparente et inaccessible. Désuet toujours, il est par essence in-retrouvable.

Lorsqu'on demande autour de soi ce qui vient à l'esprit en entendant le mot « goûter », l'interpellé dit d'abord : « Quatre heures. La récréation de quatre heures. » Même ces enfants qu'il fallait tour à tour supplier et menacer pour les faire manger sourient. Aussi bien était-ce le seul repas où ils avaient appétit.

Puis viennent les récits de goûters d'exception. Pierre parle de ces torchons blancs – non, le mot « torchon » ne convient pas, serviette ? napperon plutôt – que les religieuses posaient sur les genoux des enfants, à la maternelle, après les avoir fait asseoir sur des bancs de jardin. Il avait cinq ans. Il devait manger au-dessus du napperon qui s'étoilait de miettes. A la fin la religieuse tendait le bras, cueillait une grenade sur l'arbre au-dessus d'eux et partageait les grains écarlates comme un cadeau de Dieu.

Jacqueline évoque le goûter de l'hôpital quand elle a eu ce bonheur d'être opérée de « l'appendice », avec d'inoubliables ramequins cannelés contenant du flan sur un fond de caramel. Jules se souvient des moissons, des quelques fois où il lui fut permis de partager la charcuterie, le fromage et le vin des coupeurs de blé. Tout d'un coup, le couteau en main, il accédait en coupant son jambon à un statut d'homme. Les ouvriers lui faisaient boire le vin à la régalade et il s'étranglait parfois au milieu des rires et des odeurs de paille chaude. Madeleine, c'est le goûter de l'autre qui l'a marquée. Ses parents, marchands ambulants, la laissaient des semaines chez une tante. A quatre heures, la tante lui donnait son pain sec et nourrissait sa propre fille de pain et de chocolat.

Beaucoup gardent ainsi l'amertume de l'envie violente qu'ils avaient des goûters où ils ne mordraient pas et dont la vue les faisait saliver, longuement, jusqu'à ce qu'enfin la chose convoitée ait disparu, avalée par le privilégié. C'étaient ces brioches aux raisins ou ces longuets que vendait le concierge du lycée, ou ces flûtes fendues en long dont dépassaient des tranches roses de saucisson. Elles duraient autant que la récréation. Les gâtés et les plus riches ne partageaient pas. On ne fait pas affaire avec ceux qui n'ont jamais rien à offrir en échange. Les trocs ne sont possibles qu'entre les nantis.

Le plus âgé de ceux qui me parlent de leurs goûters était de « l'Assistance », mais il piégeait les taupes et vendait les peaux au chiffonnier. Il offrait les dents et les pattes avant de la taupe à des femmes qui voulaient protéger leurs nourrissons des maux de dents. Elles lui donnaient de larges tranches de fougasse jaune d'or à force d'œufs et de beurre. Avec les sous du chiffonnier il s'achetait de la saucisse. Il était plus gras que les autres. Lui non plus ne partageait pas.

Quant à moi, j'emportais mon quatre-heures dans un sac de papier brun décoré d'une coupe de fruits dont les rouges et les jaunes d'être imprimés sur un fond bistre prenaient une teinte de fleurs séchées. D'habitude il s'agissait de pain et d'une bille de chocolat. Dans ces cas-là, je n'y touchais pas avant l'heure. Mais quand le pain était accompagné d'une bouchée, d'un "rocher", la gourmandise me la faisait grignoter, miette par miette, sur le chemin de l'école. Il me restait le pain sec pour la récréation. Si j'avais faim je le mangeais, sinon je le cachais dans mon cartable et sur le trajet du retour je le jetais dans une bouche d'égout bien que je susse faire par là un grave péché.

Le jeudi, au patronage, la distraction consistait en une promenade, un tour en forme de boucle qui menait aux limites de la ville, tout près mais déjà dans un paysage de vignes et de pinèdes. A deux ou trois nous coupions nos provisions en tout petits morceaux, mélangions les portions. Le goûter avait alors une variété inhabituelle. Comme plats et assiettes nous trouvions autour de nous en abondance des feuilles ou des écorces de platane – parfois coupelles, parfois véritables plats creux –, des feuilles de figuier ou des pierres plates. Le pain, sauf s'il était beurré ou nappé de confiture, restait dans un coin.

Dans la cour de l'école, ce repas supplémentaire, ce luxe concédé aux besoins de la jeune chair, se tressait aux parties de balles, de corde, d'osselets ou aux conversations secrètes entre amies. Quand venait le tour de la joueuse, elle confiait son goûter à une copine et se léchait longuement les doigts si elle risquait de poisser la corde à sauter ou les osselets. Elle ne reprenait son bien que lorsqu'elle avait manqué. Cela allongeait le plaisir de mordre dans le goûter et atténuait le déplaisir d'avoir sauté sur un trait, lâché la balle ou laissé échapper l'osselet. Les jeux de quatre heures en étaient plus doux, on s'y disputait moins, les discussions sur les règles étaient moins âpres. Comment ce que l'on achevait de mâcher en allant à cloche-pied de la Terre au Ciel n'aurait-il pas eu un goût unique ? Comment le dessin d'une marelle ne remplirait-il pas la bouche d'un chocolat sans égal ?

A s'arrêter ainsi fréquemment, à alterner le goûter avec ce qui nous intéressait le plus, jouer, à manger ainsi nos provisions en pointillé, il se passait une infinité de choses délicates que l'on n'aurait pas remarquées sans ces parenthèses. Là je compris, pour avoir souvent mangé mon pain sec car j'étais impatiente et résistais mal à l'attrait du petit sac brun, que les féculents se transformaient en sucres. Quand après, bien après, deux ou trois ans peut-être mais quelle éternité, j'appris en cours de sciences naturelles ce qu'étaient les sucres lents et leur début de transformation sous l'effet des sucs salivaires, tout s'éclaira du mystère de cette bouche qui devenait sucrée avec seulement du pain.

Pendant le jeu, la langue explorait l'ivoire des dents, les creux des molaires où demeuraient des parcelles de chocolat, les gencives au-dessus des dents de devant qui conservaient des miettes de pain ou des granules de sucre, un cristal né au sein de la confiture ou le sucre semoule dont on avait saupoudré le beurre. D'avoir molli entre muqueuse et muqueuse, mie, croûte et sucreries avaient un goût différent. Il m'arrivait de jouer avec moins d'attention tant j'avais hâte de revenir au goûter. Je ne dis pas que j'aurais fait exprès de mal lancer le palet, mais tout d'un coup cela devenait secondaire alors qu'à d'autres moments j'en pleurais de rage et de honte. J'étais même si désinvolte qu'il m'arrivait de jouer longuement, sans faute, et qu'au plaisir de retrouver ma tartine s'ajoutait une chaude fierté.

A la maison, quand le temps m'obligeait à rester dedans, il n'aurait pas été question de poser mon goûter n'importe où, le temps de mettre un cube en place ou d'aligner des boutons. Il ne fallait pas salir ni faire tomber des miettes. Je devais m'asseoir à table et j'étais surveillée. On comprend bien que le plus grand charme du *vrai* goûter est la liberté.

Liberté, malgré qu'il ne me fût pas laissé le choix des composantes du quatre-heures. Ma mère décidait en fonction de son budget. Trop manger, et des choses coûteuses, eût nui autant à son porte-monnaie qu'à ma santé. Il ne s'agissait pas de se couper l'appétit pour la sacro-sainte soupe du soir. Le goûter est un en-cas, non un vrai repas.

Pour des raisons financières il y avait une bille de chocolat, une seule, une bou-chée dont la fine croûte de chocolat cachait une crème rose, blanche ou verte selon les parfums, un Malakoff et même un demi-Malakoff. Je calculais, c'était l'idéal, d'arriver en même temps à la fin du pain et du chocolat. Si la gourmandise me faisait manger la garniture sans pain, une gourmandise plus raffinée me la fai-sait garder pour la fin. La tartine avait apaisé l'appétit et c'est dans un but de pur plaisir que j'entamais la bouchée intacte. Je la léchais à petits coups. La mince cou-che de chocolat disparaissait peu à peu et, juste avant le dernier coup de langue, elle était devenue un léger voile brun qui laissait apparaître la crème. Cette vision, la fragilité du sucre, faisaient partie du plaisir. Je faisais durer cette friandise jusqu'à la fin de la récréation et même en gardais un morceau caché dans la bouche pour le dernier temps de classe où les odeurs étaient fortes et mêlées de poussière de craie. A la clandestinité de la gourmandise s'ajoutait une sensualité venue des odeurs de la fin du jour : sueurs d'enfants ayant couru, eau fermentée d'un bouquet à la Vierge, toile noire du costume de la religieuse, parfum de lys, cheveux, pieds et haleines, des odeurs vivantes dont l'accumulation épaississait l'air. Tout, dans les plaisirs de quatre heures, n'est-il pas profondément sensuel ?

Le léché, interdit ailleurs, y tenait une place essentielle. Lécher le beurre ou la confiture sur la tartine, longuement, véritablement racler le pain de la langue, lécher la bille de chocolat, la faire aller et venir entre les lèvres, l'aspirer, la relâcher et alerter les autres d'un grognement puisque l'on ne peut parler, montrer le chocolat qui va et vient. Le chocolat nous en bavait sur le menton.

Lécher ses doigts pour ne laisser perdre aucune goutte de confiture, de gelée de groseilles, de jus de prune ou de pêche, pour éviter de salir le jeu ou ses vêtements et si par malheur on tache le tablier ou le tricot, les lécher, les imbiber de salive et aspirer jusqu'à ce que le goût de sucré ait disparu. Ce n'est pas vraiment pour la tache mais pour profiter de tout.

Sucer, avec toute une technique : enrober la sucrerie de salive, l'entourer de sa langue sans trop appuyer pour ne pas l'user, lui faire rendre un peu de saveur, la mettre sous la langue ou dans la joue afin qu'elle mollisse – mais alors, attention, elle fond plus vite, il faut rapidement choisir entre un plaisir éphémère et une jouissance prolongée.

Pétrir dans ses doigts de la mie, en faire un serpent, un petit bonhomme, des boules qui deviennent grises parce que les doigts du jeu sont toujours un peu sales. Tenir à pleines mains ce que l'on mange, se servir de sa paume comme d'une assiette.

Téter cette chose unique que je place au-dessus de tous les délices : un tube de lait concentré sucré Mont-Blanc. La contradiction était totale entre le métal froid, agressif au point d'être tranchant, et la suavité de cette pâte qui arrivait dans la bouche à chaque succion. Combien de fois en ai-je joui ? Quand quelqu'une me laissa m'abreuver à la source, parcimonieusement. Quand ma mère, une fois ou deux, consentit à en acheter un tube. Mais elle en gérait l'utilisation. Elle me surveillait tandis que je pressais le tube sur la tartine et je ne pouvais téter qu'en cachette, en profitant de son absence.

Échanger avec les copines quoi que ce soit, même mordu, même passé en bouche. Quémander de mordiller dans le chocolat de l'autre – oh si peu ! du bout des dents et elle est là, attentive à le retirer si l'on empiète tant soit peu. Recevoir le

Malakoff mouillé et tiède sur la langue et n'éprouver aucun dégoût.

Mâcher longuement un biscuit, recracher la bouchée au creux de sa main pour voir « comment c'est », et pourquoi pas, alors, partager avec une autre ce mélange, en s'étonnant qu'en changeant de consistance il ait changé de goût. Peler chaque grain d'une grappe de raisin, regarder les pépins dans la transparence de la chair et sucer ce bonbon un peu spécial qui perd peu à peu sa saveur sans fondre. Quand il se scinde l'on crache les pépins et l'on explore chaque moitié de la sphère du bout de la langue : le creux du centre : un peu grenu ; la chair extérieure : lisse.

Le jeu des incisives s'exerçait sur les biscuits, surtout ceux qui présentaient des stries, une bordure festonnée ou des écritures, comme les Petit-Beurre Lu ou Petit Brun. Il y avait grand plaisir à les grignoter régulièrement, cannelure après cannelure, et à avancer en tournant vers le centre, transformant au cours de passages subtils le carré en cercle et garder à la fin un seul mot, une seule lettre, son initiale par exemple. Les Lucile, Bernadette ou Pierrette étaient favorisées et les autres jalouses. On gardait : « Petit » ou « Beurre » qui dans l'instant prenait un sens de beurre à tartiner qu'il perdait dans l'expression : petit-beurre, tant ces deux mots associés signifiaient : biscuit.

Nous appelions tous ces jeux « faire durer » et ils étaient impensables ailleurs que dans le lieu et le temps du goûter. Ils se jouaient loin du regard des parents ou des maîtres. Tout le monde les aurait interdits mais les religieuses le faisaient d'un air plein de sous-entendus, presque rougissantes. Nous ne comprenions pas bien leurs raisons cachées. De la même façon, elles nous interdisaient de jouer aux osselets assises face à face, jambes écartées, et de lancer le palet sous le pont des jambes ouvertes. Elles disaient : « un peu de tenue », mais il était évident qu'il s'agissait d'autre chose que d'arrêter de gigoter ou de se tenir droit.

Longtemps après, j'ai su que ces prises

de possession jouissive de la langue, des lèvres, des dents et des mains étaient des jeux amoureux par excellence.

Ce plaisir que j'avais au goûter est très surprenant pour une enfant qui aimait le salé. Pourtant je ne puis faire autrement que l'appeler gourmandise. Mais cette gourmandise n'existait qu'à ce moment du jour, jamais je ne l'éprouvais en dehors de l'environnement de cette heure où la confiture se mêle aux métiers muets, le bouquet de cerises noué d'un fil au tracé de la marelle, la pâte de coings scintillante de sucre cristallisé à l'odeur de la craie, où la bouchée est inséparable du lancer de la balle et des chansons qui l'accompagnaient – « ô la grau, la grau, la vieille, qui croyait avoir vingt ans » ou « Jeanne d'Arc, son étendard, elle est républicaine... ». Avec les cris et le bruit des courses elles constituaient la rumeur de la cour où éclatait par moments la toux de l'une ou de l'autre qui s'étranglait avec sa bouchée de pain, au milieu des rires. C'est seulement à l'heure du goûter que me venaient cette envie et ce plaisir d'un chocolat que par ailleurs je n'aimais pas vraiment, ou de toute sucrerie, au point de refuser le dessert du repas, préférant au riz au lait une bouche embaumée d'un ragoût de pommes de terre.

Le pain de quatre heures était lui aussi tout autre que celui de la table, autre que le morceau rajouté par le boulanger pour faire le poids, tiède et craquant, autre que le pain bénit de la messe. Coupé en petits dés, accompagné de quelques pignons ou amandes trouvés dans l'herbe et que leur coque avait gardées intactes tout l'hiver – avec l'affreuse surprise, parfois, d'une amande amère qui faisait longuement cracher et ôtait l'appétit –, il conservait le souvenir de ces apports imprévus. C'était aussi le seul pain dans les trous duquel je pouvais enfoncer le bout de la langue pour percevoir le lisse de la paroi. Je ne sais pourquoi nous avions une grande considération pour les trous les plus gros et je me souviens de phrases dans le genre :

« Tu me donnes ton trou ? » ou « Regarde, je rentre toute ma langue dans le trou », qui aurait laissé perplexe un adulte nous écoutant. Mais quoi de plus rassurant qu'un groupe d'enfants qui jouent.

Il arrivait que j'obtienne un goûter salé, mais c'était exceptionnel. La liberté liée à cet en-cas tient seulement à la façon d'en consommer les composantes, non à leur choix sur lequel régnait ma mère. Restait-il un bout de poitrine du repas, de l'omelette, des haricots secs même ?, je mendiais : « Mets-le-moi dans mon pain. Tu ne vas pas prendre *ça* à l'école, objectait-elle. — Pourquoi ? — Pourquoi, toujours pourquoi, cela ne se fait pas, voilà. » J'insistais : « Alors, fais-moi du pain à l'huile. » Elle ne manquait pas de bonnes raisons pour refuser : « Ça va couler », « Ça va tacher ». Et finalement, la plupart du temps, je me retrouvais avec le pain et le chocolat classiques dont j'arrivais à faire mes délices, peut-être parce que je voyais les autres s'en délecter.

Répétitif, monotone par la pitance offerte sans cesser d'être exquis, le goûter constitue par l'épaisseur même de l'habitude un terrain de choix pour les circonstances d'exception. La broderie nécessite bien un fond, un à-plat où inscrire les volutes. Elles deviennent magnifiques à cause du gris uniforme ou du rose qui les exalte. Les goûters rares ont besoin de la masse de ceux qu'il est impossible de différencier.

Il est arrivé que ma mère cède à mes prières. Mon pain était alors accompagné d'une rondelle de saucisson ou de boudin. Je pouvais donc en toute tranquillité profiter longuement de cette tripe dont la charcuterie était enveloppée. A la maison ma mère interdisait que je la consomme, elle la trouvait sale. Sale, ce pur délice ? Mais combien de choses les parents ne trouvaient-ils pas sales ? Boire à la fontaine, ne pas se laver les mains, tripoter de la terre. Je n'étais guère troublée par cela et, quand j'avais le bonheur d'emporter une tranche de saucisson, je me réjouissais à l'idée de mâcher la peau comme du chewing-gum, de lui faire rendre tout son suc et de ne la recracher, blanchâtre, que lorsqu'elle serait devenue insipide.

Ce qui s'est produit quelquefois, rarement, ne constitue pas vraiment une habitude, seulement un retour rare et festif. Cet itératif parcimonieux est parfaitement rendu par le passé surcomposé que nous utilisons souvent à l'imitation de l'occitan : « Je l'ai eu fait. »

Il en était ainsi du goûter de la colonie de vacances. Il était chaque jour une surprise. Après la sieste, juste avant de partir pour la promenade ou pour le pré où se dérouleraient les jeux, les religieuses posaient sur une table sous les arbres deux grandes panières couvertes chacune d'un torchon blanc. La grosse panière contenait le pain mais la petite était un mystère à percer. Depuis le dortoir, nous observions sa taille ou la forme du torchon. Un pot de confiture, de ces grands pots de collectivité, était tout de suite

reconnaissable. Par contre une petite cor-
beille pouvait contenir une Vache-qui-rit,
nom que nous donnions même aux sous-
marques, Vache sérieuse ou Vache Gros-
jean. Nous les adorions à cause du papier
d'argent dont elles étaient enveloppées.
En le léchant bien, en le déplissant du
bout du doigt, on avait un morceau de ce
papier toujours précieux dont j'aurais mis
ma main à couper que c'était vraiment de
l'argent. Nous les aimions aussi à cause
de l'étiquette où apparaissait la fameuse
vache que nous collerions entre nos sour-
cils ou, quand nous en avions deux, sur
chacune des joues. Il pouvait y avoir sous
le torchon du fromage de Cantal, des
grappillons de raisin, quatre noix pour
chaque enfant ou du chocolat. Mais un
chocolat nouveau. Non pas ces barres que
nous appelions billes mais de grandes pla-
ques coupées en morceaux un peu irréguliers, un chocolat plus rustique que celui
de la maison, un peu sableux. Comme le
pain était de la miche, les goûters d'Ouil-
lats me paraissaient paysans. Je l'attribue

aux noix, inhabituelles, au cantal, encore plus inhabituel, et surtout au grain du chocolat et au pain. Je trouvais d'ailleurs tout cela délectable et m'en émerveillais comme de tout ce qui était de « la colo », les cabinets miroitants, blancs, possédant une chasse d'eau et un lavabo, les frites du dimanche et ce quatre-heures sous les torchons blancs, chargé de magie. Sans parler du jour béni où le goûter constituait le trésor du jeu de piste. Au bout du parcours était caché un gros sac garni des choses les plus ordinaires magnifiées par les flèches et les messages à trouver, près de bouteilles d'eau enchantées de quelques gouttes d'Antésite qui parfumait le soir à la réglisse.

Il m'arrive souvent, et il n'y a pas si longtemps encore, quand la cassure d'un chocolat me paraît granuleuse, d'en mâcher un morceau, longuement, avec un morceau de pain. Je ferme les yeux et m'arrivent des images de plein été, d'ombres d'arbres, de rivière lumineuse. Mais pour que le goût soit le même il me manque, c'est évident, d'avoir dix ans, d'avoir quitté la maison de Béziers sans aucune nostalgie, d'être dépaysée au milieu des moissons, à peu de kilomètres de chez moi mais aussi sûrement que si j'étais à l'étranger, de me réveiller dans le grand dortoir près de mes copines, d'avoir devant moi des jours entiers de jeux nouveaux, comme une gigantesque récréation. Il me manque tant de choses pour trouver de la saveur à la miche et au chocolat ordinaires...

Être invitée chez une copine, cela arrivait quelquefois. J'en attendais un nouveau goûter. L'attente et le plaisir d'être ailleurs faisaient partie de la nouveauté. La mère de Yolande coupa la flûte dans le sens de la longueur, comme si elle taillait d'énormes mouillettes, et nappa les morceaux de beurre malaxé avec du sucre. J'en parlai à ma mère avec enthousiasme. Jalouse, peut-être, elle se contenta d'insinuer : « Beaucoup de sucre, pas beaucoup de beurre. » Je n'en fus pas du tout convaincue, tant l'astuce paraissait admirable. On me servit aussi, je ne sais plus chez qui, un chocolat au lait dont la saveur tenait aux tasses d'une dînette où nous eûmes la permission de le boire. Il me semble qu'il était très noir, très chargé en cacao, en tout cas je n'ai jamais retrouvé le même.

C'est à ma mère que je dois le souvenir le plus parfait. J'étais en sixième. On devait amener notre classe à une séance de cinéma, à cinq heures, après les cours. Le film était *Les chaussons rouges*, un ballet narratif. La danse classique était ma passion. J'obtins le prix de la séance. J'y pensais sans arrêt. Au jour dit, probablement un vendredi, il y eut au repas de midi un poisson en mayonnaise. Il resta de la sauce dans le bol. Je demandai à ma mère de m'en tartiner le pain. « Non, dit-elle, cela va couler. » Elle réfléchit : « Je crois que j'ai une idée. » Elle coupa le quignon de la flûte, enleva la mie, logea dans le creux le restant de mayonnaise, et avec un autre quignon d'une autre flûte inen-

tamée elle fabriqua une sorte de bouchon.
« Là, dit-elle, maintenant ça ne risque
rien. » Il faut bien comprendre que commencer un pain avant d'avoir fini le premier était une chose impensable, comme
de jeter un peu de mie. Elle fit cela pour
moi, déroger à tous ses principes de bonne
ménagère. Je lui en suis encore reconnais-
sante aujourd'hui par-delà sa mort qui
est minimisée par la lointaine tendresse
que je lui adresse, car elle me donna
un apogée du goûter, un goûtissime. Je
n'ai jamais oublié l'impression de plénitude qui m'habitait sur le chemin du lycée.
Un billet de banque dans la poche, le quignon si astucieusement garni et la danse.
C'est de l'allégresse que j'éprouvais sur ce
trottoir. J'étais une reine, tant il est vrai
que peu importe la taille du royaume, ce
qui compte c'est l'état de royauté.

Et puis il y a des goûters ambigus dont
on savoure en secret les saveurs, dont on
rumine en secret les arrière-goûts.

Parfois je volais une pièce dans le porte-monnaie maternel. Souvent ? Aussi souvent que le permettait sa vigilance. Je n'osais trop acheter une bouchée à l'épicerie du quartier et je profitais du trajet vers l'école pour aller dans un magasin où ma mère n'entrerait jamais. C'est seulement là que je pus me payer un tube de lait concentré pour moi seule. Mais alors, impossible de le faire durer. Il fallut le partager, en faire disparaître toute trace, m'en gaver jusqu'à l'écœurement.

Il y avait dans le quartier une fillette qui avait un pied bot. Sa mère ne la laissait pas jouer sur le trottoir, elle essayait d'attirer les autres fillettes dans leur villa. Marie-Louise était gâtée, « gâtée-pourrie », disions-nous. Nous ne l'aimions guère mais nous savions qu'elle possédait des jouets nombreux, des jeux de société, des livres, des magazines et surtout que sa mère offrait un goûter que nous jugions somptueux. Celles qui s'étaient laissé piéger racontaient la beauté des dînettes et des poupées, le petit piano, les grandes tasses en « porcelaine » et les gâteaux « de pâtissier ». Mais... il y avait un mais. « Elle est méchante », disait-on. « Elle est capricieuse. » « Si elle perd au nain jaune elle pleurniche et sa mère arrive. » « Sa mère pleure quand elle la voit pleurer. » Certes tout cela comptait mais... le mille-feuille... la religieuse... éveillaient les convoitises et Marie-Louise avait souvent une gamine du quartier à régenter les jours de congé.

J'y allai une seule fois. Sa mère me caressait et parlait pour sa fille : « Elle cherche une amie, les autres petites filles ne sont pas gentilles. » Elle avait les larmes aux yeux. Combien de fois, à combien de fillettes avait-elle répété ces paroles ? Marie-Louise la renvoya et commença ses exigences : « Ne lis pas, jouons. » « Pas aux petits chevaux, tiens, à la marelle. » Je ne voulus pas, sûre de gagner et craignant ses larmes. Une désagréable angoisse m'habitait dans ce jardin lumineux. Je me sentais enfermée, surveillée à travers la vitre par le regard douloureux de la mère. Je ne désirais qu'une chose : partir en courant, retrouver le groupe du trottoir, nos libres disputes, nos bagarres à coups de pinçon, de cheveux tirés à poignée, nos insultes qui se terminaient rarement par des *rapportages*. Le temps me paraissait interminable. J'avais hâte de goûter puisque j'étais venue pour cela. Ce fut enfin le moment de nous installer devant les fameuses tasses de porcelaine « que tu vois au travers ». Auparavant, Marie-Louise ouvrit tout grand un placard : des chaussures gauches toutes neuves y étaient alignées. Sa mère gardait ces chaussures inemployées puisque le pied malade était étayé jusqu'au mollet par une chaussure orthopédique. Et Marie-Louise détaillait cet étalage parfaitement rangé auquel il ne manquait qu'une vitre pour ressembler à une boutique. « Ça, c'est ma première paire de chaussures. » « Ça, c'est des Kneip pour l'été. Il y en a une paire par an ou presque. » Et en effet ils se succédaient de plus en plus grands. « Ça, ce sont les souliers de ma petite communion, ça, ceux de la solennelle. » « Ces sanda-

lettes blanches, je les mettais pour les pro-
cessions. » « Ce sont des bottillons fourrés
pour l'hiver. » Elle en parlait au pluriel
bien qu'il n'y eût qu'un soulier, tout neuf,
de chaque catégorie. L'autre, usé, avait dû
être jeté. Bien que neuf, le cuir des chaussures avait vieilli, il s'était légèrement
racorni, les couleurs avaient fané. On
aurait dit que Marie-Louise avait ouvert
l'armoire de Barbe-Bleue. Dans chaque
soulier je voyais le pied absent et mons-
trueux de la fillette renfrognée qui se
tenait près de moi. Nous passâmes à table.
Ce jour-là il y avait des choux à la crème.
Je ne pus finir celui que l'on me servit.
Le chocolat, les tasses, l'assiette pleine
de bonbons où nous pouvions puiser à
volonté, tout avait un goût de souliers
morts. Je ne puis voir des choux à la
crème dans une pâtisserie sans que le
dégoût monte en moi avec l'impression
d'un temps qui refusait de couler. Ainsi, ce
qui devait être un goûter à marquer d'une
pierre blanche est un souvenir répugnant.

Une autre fois c'est ma grand-mère qui me prit dans la maison où elle était domestique. Je devais passer l'après-midi avec la fillette de ses patrons. Elle avait mon âge. J'attendais de ce jour je ne sais quoi de mirobolant. A travers les récits de ma grand-mère, leur maison me paraissait un château. Elle parlait de « desserte », de « bergère », de meubles laqués, de « crédence », d'« argenterie », et décrivait une pièce vitrée, pleine de plantes qu'elle nommait avec déférence : l'orangeraie. Je m'y voyais. Je me voyais aussi en train de manger des choses que je ne savais ni nommer ni imaginer. Je fus bien déçue. Nous n'entrâmes ni dans la maison ni dans l'orangeraie, je vis le piano « laqué » à travers une vitre et l'on nous servit, avec une grande carafe d'eau, des cerises et du pain. Dans un cas comme dans l'autre, je fis bonne figure en revenant sur le trottoir et en rajoutai sur le régal en me passant la main sur l'estomac.

Il ne manque pas, dans l'évocation du moment privilégié du goûter, de ces discordances, de ces notes grinçantes dans une mélodie dont l'ensemble est globalement suave.

Ce goûter auquel Colette convia presque toute la classe de sixième, sauf trois ou quatre dont moi, il me semble, sans que je l'aie mangé, qu'il me soit resté sur l'estomac. La rue où elle habitait, la jolie maison avec une pergola, ce lieu à la porte duquel on m'avait arrêtée, ce paradis d'où j'avais été rejetée sans le connaître, je les ai vus, depuis, des centaines de fois avec, en écho, la même amertume. Jusqu'à la veille du jour J, j'avais multiplié les bassesses pour me faire bien voir de Colette dans l'espoir qu'elle finirait par m'inviter. En vain.

Chez les filles de la coiffeuse, j'y suis allée, mais comme dans une sorte d'enfer. Elles étaient trois, orphelines. Leur grand-mère les élevait dans une maison qui jouxtait le salon de coiffure, fermé depuis la mort de leur mère, ainsi que l'appartement où elles avaient vécu jusqu'à ce décès. Beaucoup de meubles, de vête-

ments étaient restés dans la maison première, le salon de coiffure était clos mais
muni encore de tous ses meubles et acces-
soires. Les trois sœurs nous amenaient là
pour jouer. Rien ne leur était plus facile
que de prendre les clés à l'insu de leur
aïeule débordée par le deuil et la charge
de ces enfants agitées et désobéissantes.
Nous entrions à pas de loup dans des pièces à forte odeur de moisi. Nous jouions
en retenant nos gestes et nos voix. L'odeur
du salon rose tenait de la chimie et
du parfum. Nous utilisions les peignes,
les bigoudis, la brillantine au bleu irréel,
quelques gouttes de shampooing qui
moussaient abondamment dans nos
mains. Nous nous déguisions avec les pei-
gnoirs pâles du même rose doux que les
lavabos et les tablettes dans le demi-jour
d'une pièce fermée sur la rue par un
rideau de fer mais dont l'arrière ouvrait
sur un jardin envahi d'herbes, abandonné
à la prolifération sauvage depuis la mort
de la mère. Nous allions dans l'appartement et les trois sœurs ouvraient les

armoires, sortaient des robes, des cha-
peaux, des souliers, s'en habillaient et
nous invitaient à le faire. J'entrais dans
des robes glacées, des souliers trop hauts,
trop grands. Les odeurs étaient fortes de
tissu porté, de vagues senteurs d'eau de
Cologne. Toujours déguisées, nous goû-
tions. La plus grande des filles allait chercher dans une cachette une grande boîte
de poudre cacaotée Phoscao. Nous nous
passions la boîte et y puisions à chaque
tour une grosse cuillerée de poudre. Le
contenu de la boîte de fer paraissait inépuisable. Cette poudre fine donnait envie
de tousser. Cela arrivait parfois, un nuage
sortait d'une bouche suffocante. L'impression d'étouffer gâtait le plaisir d'une
sucrerie qui, d'habitude, était diluée dans
une grande quantité de lait et dont j'avais
pu éprouver l'excellence quand, à la fin
du déjeuner, j'en trouvais au fond du bol
une petite part, mouillée et concentrée. Il
était si rare d'en avoir à volonté au point
d'en être écœurée que malgré la maison
demi-morte, les vêtements froids, la pous-

sière qui commençait à s'accumuler et ternissait tout, je ne refusais pas ces secrètes incursions avec les trois sœurs, où nous pouvions nous remplir l'estomac d'une denrée onéreuse, mesurée ailleurs par nos mères.

Si je ne me suis jamais réconciliée avec le chou à la crème, en revanche le petit salé embrumé d'avoir bouilli dans la soupe de pommes de terre m'attire toujours. Je le dois à Paule.

Ses parents élevaient des vaches aux portes du village de Brassac et, comme tous les paysans, ils garnissaient leur soupe d'un fond de jambon ou de poitrine salée. Un morceau froid de l'une ou l'autre de ces charcuteries constituait le goûter de Paule, avec une grosse tranche de miche. Nous posions nos provisions, elle son lard bouilli, moi mon pain et mon chocolat, sur des planches entreposées sous un hangar. Paule avait deux ans de plus que moi et m'entraîna bientôt dans des jeux sexuels. Elle se mettait à plat ventre, retroussait son tablier, descendait sa culotte et je devais lui frotter les fesses. Ce n'était jamais frotté assez fort. J'étais attirée par ses fesses blanches et même par sa culotte douteuse mais j'acceptais surtout à cause du goûter, car elle me donnait sa charcuterie et son pain de ménage en échange de mon morceau de flûte et de mon chocolat. Nous étions toutes deux ravies de l'échange. Le fait que je doive lui frotter les fesses me paraissait légitime. C'était une manière d'équilibrer le troc car la poitrine me paraissait valoir plus cher que le chocolat. Tout en frottant ce cul bien rond qui peu à peu passait du blanc au rose, je jetais des coups d'œil au délice posé sur le pain. Il régnait sous le hangar une humidité qui embaumait la résine et la sciure de bois. Tout d'un coup Paule se levait d'un bond, remontait sa culotte, et nous allions manger et jouer au bord de l'eau. Des années plus tard je compris tout l'érotisme de ces heures, encore qu'elle ne m'eût jamais demandé si je désirais qu'elle m'en fît autant et que je n'aie jamais osé lui demander de me montrer son devant qui m'intéressait plus que son derrière. Paule a disparu de ma vie mais souvent, en pensant au sexe, il est venu en moi la demi-lumière du hangar, une paire de fesses blanches, une vraie lune, l'odeur des planches fraîchement sciées et le goût du petit salé cuit dans la soupe. Grâce à Paule j'associe l'abandon amoureux non à des sucreries mais à une nourriture grasse accompagnée de pain rude, quelque chose de rustique et de presque brutal.

Habitude dans l'habitude, il y avait aussi le re-goûter du mercredi soir. J'achetais au bureau de tabac le magazine *Lisette* que la buraliste me mettait de côté. Pendant tout le restant du trajet je me retenais de l'ouvrir et même de trop m'attarder sur la couverture. Je savais mieux refréner le désir de lire que celui de croquer dans la bouchée. J'attendais d'être rentrée à la maison. Quand il faisait froid je m'installais dans la cuisine et même, au cœur de l'hiver, les pieds dans le four de la cuisinière à charbon. L'été, je m'asseyais sur la marche du seuil. Alors je demandais un supplément de goûter. Ma mère protestait. Je suppliais plus fort : « J'ai faim. » Si nous en avions mangé à midi, elle accusait le poisson qui « ne tenait pas au corps ». Finalement elle acceptait. Je recevais peu de chose : du pain et un morceau de sucre. Un biscuit. Et là, en mangeant ce pain qu'en hiver je posais sur le dessus de la cuisinière, ou profitant d'un long soir de mai, dans le confort délicieux de l'absence de devoirs et de leçons, je commençais la lecture méthodique de *Lisette*. Je savais ménager mon plaisir. Je ne me précipitais pas tout de suite sur ce que je préférais mais laissais de côté ce qui a priori me rebutait – tel titre, telle illustration de l'histoire complète annoncée en couverture. J'allais à une bande dessinée dont les personnages étaient chaque semaine les héros d'un sketch. En une douzaine de vignettes une histoire était racontée. Il y eut « Poinderi et Poindechaînette », les jumeaux de la

Mère Tricota, « Babouche et Babouchette », deux petits Arabes dont les sottises me plongeaient en plein exotisme colonial à base de palmiers, de pastèques, de chameaux, de gourbis sur un horizon de sable. Après, j'épluchais le courrier des lectrices, le « billet de Marraine », sorte d'éditorial qui profitait de la saison, des fêtes, des événements d'une vie d'enfant pour proposer une réflexion quelque peu philosophique. Je lisais un conte. De toute façon je savais que, dans la semaine, tout le magazine serait exploité. Tout viendrait à son heure. Un soir où il pleuvrait, où mes copines de la rue seraient punies ou absentes, il serait temps de m'essayer à une broderie, à un bricolage à base de coquillages collés sur une boîte, à un dessin au pochoir, à un découpage.

Enfin, en ces mercredis soir, venait le moment attendu, le cœur exquis du goûter supplémentaire, le plat de résistance : le roman à suivre. J'entretenais avec lui un rapport exalté où se mêlaient la hâte de savoir la suite de la semaine précédente, le plaisir d'avancer dans l'action, en trois ou quatre pages, et la frustration attendue de l'arrêt. Car, bien sûr, l'intrigue s'arrêtait à un moment palpitant. Au (à suivre) j'avais une vraie angoisse. Comment allais-je faire pour tenir une semaine avant de savoir ? Je sens sous mes doigts le grain du papier en même temps que monte en ma bouche le goût sucré du pain. Les couleurs délavées, les graphismes de *Lisette* sont sous-tendus par cette faim qui s'éveillait d'autant plus vive que m'arrivaient les odeurs du repas du soir qui se préparait. De cinq heures à la nuit il était impossible d'échapper à des fragrances apéritives : dans tout le quartier les ménagères s'activaient. La faim suscitée a le goût d'une histoire à suivre. Il flotte aussi quelque part l'odeur de l'étable à vaches. Aller chercher le lait était mon travail. Cela interrompait le fil du récit. Je courais mais la chaleur campagnarde de l'étable, l'odeur de bouse et de lait, l'air grave du laitier et la précision de ses gestes me captivaient au point de m'attarder un peu. Tout d'un coup je pensais à ces quelques feuillets qui m'attendaient près du feu ou sous le sophora et dont j'allais jouir dès mon retour. Ces soirs-là me sont précieux, tout auréolés, dans la longue succession de mes quatre-heures.

Et puis, un jour, on ne goûte plus.

Plus jamais en tout cas de cette façon, en mêlant le goûter intimement aux liesses, aux peurs, aux curiosités multiples de l'enfance, à la ficelle nouée qui devenait tour Eiffel ou barrière à quatre, aux comptines initiatiques, « Pour faire un enfant il faut une heure... » D'autres goûters commencent, qui auront un autre goût...

A l'internat, nous avions chacune une caisse, l'économe ne fournissait que le pain. Je ne jouais plus aux osselets, sauf pour faire plaisir à une « petite », je n'achetais plus *Lisette*. Nous marchions dans la cour en discutant de littérature ou de politique. Certaines, déjà soucieuses de leur ligne, ne goûtaient plus du tout. Vincente s'occupait toutes les récréations à faire du patin à roulettes dans l'espoir de perdre quelques kilos. Nous la trouvions parfaitement ridicule et il aurait fallu me payer pour me faire chausser des patins. En un an, ils étaient passés de la chose la plus enviable du monde à un objet bon pour le débarras. Nous fumions une cigarette, nous buvions du thé. C'était un temps si différent que je ne disais même plus : goûter, même si je grignotais quelque biscuit. Je disais : moment, halte. Quand je rentrais chez moi, tous les quinze jours, j'achetais *Les Lettres françaises* chez la buraliste et ma mère me disait : « Tu veux prendre quelque chose ? » Elle-même n'osait plus le mot « goûter ».

Après, lorsqu'on est entré dans le plein de la vie, le goûter revient avec les enfants. A travers l'épaisseur des ans, peu nombreux parfois mais formant écran opaque, derrière lequel brillent des images lointaines et à toucher du doigt, perdues en même temps que trouvées, on appelle ses enfants pour le quatre-heures, on garnit le sac. Il a changé de couleur et de matière. Il n'est plus en papier ou en toile, il est en plastique souvent fluo, le contenu s'est modifié lui aussi. Il comporte un biscuit fourré, une brioche aux raisins. On éprouve une tendre tristesse en les mettant dans le paquet car rien n'égale le pain d'hier, et la barre chocolatée, si exquise soit-elle, ne peut aller contre les saveurs intérieures de l'ordinaire chocolat, du beurre, de la confiture et de la rondelle de saucisson qui nous eussent enchantés. Il faut faire un effort de temps, fustiger sa propre mémoire et ses sentis pour croire que ces Lion, ces Mars d'aujourd'hui, au lieu d'être brillants de modernité, seront un jour aussi pâles et désuets que la couverture des *Lisette*. Quand je trouve chez les bouquinistes quelques liasses de ces journaux, il me semble que même si je tends la main, je ne pourrai les toucher, qu'ils ne sont que des lambeaux insaisissables. Ce qui est l'enfance de nos enfants deviendra pareillement vieillot et m'éloignera plus encore du côté de la mort. Ils parleront à leurs enfants de ces noisettes enrobées de caramel lui-même enrobé de chocolat, ils diront : « Cela s'appelait *Nuts*. » Il n'y en aura même plus chez les commerçants.

Tous les goûters que l'on préparera pour d'autres sont chargés et le deviendront de plus en plus pour nous. Nos enfants sont neufs et légers, nos petits-enfants plus encore.

Souvent au moment où, près de la mer, je leur tendais le quatre-heures, j'ai songé : quel chemin allait suivre ce fruit d'août mangé au bord des vagues – parfois tombé dans le sable et que j'avais lavé dans l'eau de mer –, l'osier tressé où en partant je l'avais rangé, dans les méandres incertains et fuligineux du souvenir ? Où partirait la barquette de frites accompagnée de ketchup ou la crêpe fourrée au Nutella dégustée sous les peupliers du « Plan d'eau base de loisirs » du village ? Peut-être allait-elle se perdre en chemin et autre chose resterait, imprévisible, ou cela même mais si modifié, si distordu que j'en tremblais. Et moi-même, quand ils évoqueront leurs goûters, que serai-je en eux ? Quel visage émergera près du Coca-Cola ? Ma mère est présente, certes. Un peu. Mais pas au centre, à côté. Pas entière. En miettes. Reste-t-il jamais autre chose que des miettes ? Il fut un temps où je les secouais d'un geste sur mon tricot. Maintenant du bout du doigt je les cueille une à une et je les mange – ainsi faisait mon grand-père à la fin du repas. C'est que le pain dont elles étaient les restes était précieux.

Quand les enfants des enfants ont cessé d'être des enfants, c'est le moment de revenir, pour soi, au goûter. Il est trop tard pour l'offrir à ses arrière-petits-enfants. Si on dépose ces derniers dans les bras des très vieux c'est seulement pour qu'ils s'en émerveillent un moment, cela n'annonce aucune charge, aucun devenir. D'autres s'investiront pour gar-der, tailler le pain, cuire le gâteau, atten-dre à la sortie de l'école, emmener à la foire et réparer les dégâts de la gaufre qui s'effondre entre les mains et sur le manteau. Ces services ont été autant de joies rajeunissantes pour les grands-parents, ils les ont retransformés en parents, provisoirement et pour la dernière fois. C'est après que l'on goûte pour soi. A quatre heures, on s'attable devant des ombres.

Je revois le café au lait de mes parents dans le verre en Pyrex, et les biscuits qu'ils y trempaient. L'odeur est là. Ils revenaient d'Intermarché ensemble ou bien ma mère rentrait de ses courses. Elle était seule alors et se préparait ce mélange dont la seule couleur, à la voir ici et là, me remplit de larmes. Elle, elle était contente de cette halte. Cela se passait dans cette même cuisine d'où j'épiais par la fenêtre la lumière chez Alice avant de partir avec elle chercher le lait. Peu de choses avaient changé au-dehors dans le paysage de la rue, comme dans l'intérieur de la cuisine. Elle et mon père s'y tenaient toujours, n'ayant pas transporté ailleurs leur pièce à vivre, et s'y mêlaient les mêmes odeurs de cuisine, les fragrances du propre, du repassage, des fruits disposés dans un compotier sur le buffet. « Tu en veux un peu ? », demandait-elle. Je disais non, comme on se sauve – si j'entrais dans l'engrenage du goûter des vieux n'allais-je pas être happée par la mort ? J'acceptais une tasse de café. Si j'y trempais un biscuit, l'illusion m'enveloppait dans des lieux aussi intacts d'un goûter retrouvé. Mais ce n'étaient que des échos, moins que des échos qui sont réels, des images virtuelles formées à l'intérieur de moi. Telles quelles, pourtant, elles m'étaient précieuses, tandis que je laissais s'amollir le biscuit dans le café chaud jusqu'à ce que l'extrémité se détache et qu'il s'y défasse, aussi totalement que dans ma bouche autrefois le Petit-Beurre Lu. Je rattrapais les morceaux avec la cuillère et cherchais dans la bouillie sucrée l'allégresse des quatre-heures. Au même instant, je voyais l'escalier de tous les jeux, le même exactement dont j'avais grimpé deux à deux, et même quatre à quatre, les marches de ciment lisse, où j'avais installé mes dînettes, où assise côte à côte avec Josy, Lili, Monique, à l'abri de tous les regards, de toute oreille autre que les nôtres j'avais échangé des secrets sur le sexe et l'amour par lesquels un jour j'étais devenue grande. Car nous vieillissons plus par l'accumulation des savoirs de la vie, du prix du pain, du sperme de l'homme, du sang, que par les centimètres s'ajoutant aux centimètres.

Je regardais ma mère, ses mains qui autrefois avaient garni le sac de papier brun. Seulement maintenant, je m'avisais qu'elle avait été la pourvoyeuse de ces milliers de goûters qui sont un gisement de mémoire. Je mettais la conversation sur les souvenirs qu'elle en gardait pour m'apercevoir avec effarement qu'ils ne coïncidaient pas avec les miens. Et je comprenais que, de tout ce que j'avais fait avec mes enfants, de ce que je reconduisais avec mes petits-enfants, il ne resterait presque rien.

Ma mère avait oublié le quignon vidé de sa mie et rempli de mayonnaise, elle ne savait rien de nos léchages, de nos échanges, rien des vols dans son porte-monnaie, des cheminements des dents sur les biscuits Brun, du pain jeté, du Phoscao des filles de la coiffeuse, du goûter chez Colette où pour toujours je demeure ininvitée, de Paule et de ses fesses blanches, des secrets échangés, de nos tremblements amoureux rien qu'à entendre le nom d'un garçon, rien non plus des choses douces et avouables liées au goûter. Rien. Comme je ne savais probablement rien moi-même de ce qui serait la mémoire des goûters pour ceux que j'appelais « eux » et que j'aimais si totalement.

Ma mère était paisible, devant son café au lait et les petits biscuits ronds en forme de fleurs qu'elle achetait au kilo. Paisible et joyeuse. Peut-être tenait-elle loin d'elle ces réminiscences, peut-être ne lui venaient-elles pas à l'esprit. Écrire, c'est-à-dire creuser en soi, est à double tranchant. Si l'on éprouve la joie vertigineuse des archéologues à sortir de l'ombre des vestiges, ceux-là mêmes, fragmentaires et multicolores, mettent face aux saccages du temps.

Ma mère n'écrivait pas et j'espérais que cette mesure des jours lui était épargnée, qui taille si vivement à travers le cœur.

Si elle avait gardé des souvenirs de mon temps d'enfance, elle sautait volontiers sur l'adolescence et la jeunesse dont elle préférait oublier les violences. Elle ne parlait jamais de moi étudiante. Elle reprenait le fil des images qui restent lorsque j'étais devenue mère à mon tour. Les petits-enfants occupèrent longtemps l'espace de sa conversation et de ses occupations. A la voir préparer les tartines de pain grillé, à la voir sortir de son cabas sur la plage les gâteries qui combleraient la faim des petits pêcheurs à la foëne, salés et parfois bleus de froid, je comprenais que l'âge du goûter est aussi celui du bonheur des mères, traversé de soucis bénins. Quand ils devinrent jeunes gens, elle se détourna de cet âge d'homme à l'orée duquel ils piaffaient et sa mémoire revint vers leur enfance. Par une sorte de substitution, elle entra dans l'âge où elle goûta elle-même.

Mon père était rarement présent, sauf les jours d'Intermarché. Jusqu'à ce que son corps ne le trahisse il se promena aux portes de la ville, vers les vignes ou vers la rivière où il aimait regarder pêcher. Il ne rentrait qu'à l'approche de la nuit, trop tard pour goûter.

Je n'ai trouvé mon père devant le café au lait et les biscuits que lorsqu'il n'eut plus de voiture, lorsqu'il lui fut impossible de sortir seul, sauf si je l'accompagnais, et un peu plus tard lorsqu'il fut veuf. Il avait recours au goûter pour rompre la longueur monotone de l'après-midi. Ce qui au temps de l'enfance, la sienne comme la mienne, était reprise joyeuse de l'élan, appétit à vivre, s'était transformé en un moyen d'éloigner la peur crépusculaire. Le soir avait été longtemps exquisément protecteur, n'annonçant que demain, il était devenu l'entrée dans la nuit avec la peur qu'il n'y ait pas de lendemain.

Goûter était une magie rajeunissante capable, un temps, de la faire reculer.

Je ne pouvais voir mon père devant son café au lait sans l'imaginer enfant. Il courait alors, agile dans les chênaies tarnaises, grimpait aux arbres, ne revenait en coup de vent à la maison que pour y prendre un bout de miche et son accompagnement. Beaucoup de miche, peu d'accompagnement. Cela faisait pourtant ses délices d'enfant et les délices de sa mémoire. Le goûter ne doit presque rien aux ingrédients dont il se compose et tout à ce temps de la vie, à la jeunesse du corps, à demain encore intact.

Aujourd'hui, quand j'arrive à la maison de retraite, c'est l'heure où, après la sieste, on a réuni les personnes âgées dans le salon. Un joli salon dont les couleurs pastel pourraient être celles d'une chambre d'enfant. Les plus valides occupent les sièges recouverts de reps rose et bleu doux, pour les autres on a roulé jusqu'ici leurs fauteuils. Contre les murs sont posés des déambulateurs, des cannes anglaises nickelées et des cannes en bois. La télévision est en marche. Les pensionnaires ouvrent un œil quand Pascal Sevran entonne une chanson de leur époque. Ils sortent alors de l'épaisseur de leur indolence et fredonnent, chantent quelques paroles, parfois tout un couplet. La salle ne se réveille vraiment que lorsque arrive le chariot du goûter tout cliquetant de verres et de tasses. Les vieux et les vieilles s'animent, les mains se tendent vers les carafes remplies de menthe à l'eau ou d'orangeade, vers les pots brillants qui contiennent la tisane, le café et le lait. Dans des plats sont préparés des biscuits par paquets de trois ou quatre : des gaufrettes, des éventails, des Bichoco, des Petits-Lu – seraient-ils immortels ? – Cela varie tous les jours, et dès que le chariot arrive des regards curieux l'explorent. Les uns sont déçus, les autres ravis : « Ah, encore des Brun. C'est sec... » « Tiens, c'est nouveau, ça ? » « Et il y a quoi dedans ? » « Je ne veux rien, rien ne me plaît. » N'est-ce point la même curiosité intéressée, la même dépendance par rapport à ceux qui commandent, parents autrefois, femmes de service aujourd'hui ? Kinés, infirmières, médecins, n'adoptent-ils pas le ton gentiment grondeur, faussement dynamisant des moniteurs de colo, des chefs scouts, des demoiselles responsables des « Ames vaillantes » ?

Comme autrefois, l'heure du goûter est aussi l'heure des jeux. L'animatrice entre en scène. Elle propose un « Question pour un champion » simplifié. Des savoirs surgissent, chefs-lieux de département ou débris d'Histoire. Celui qui a répondu est tout fier, les autres peut-être jaloux. Ou bien l'animatrice fait chanter en s'aidant d'un recueil des *chansons d'autrefois*. Ou bien elle fait peindre des images déjà dessinées. C'est un menu de fête, c'est une affiche annonçant le loto, ce sont des cartes « Joyeux Noël » à envoyer dans les familles, ou des masques de carnaval ou des guirlandes pour le Nouvel An.

A regarder les murs et les tables sans

voir les visages, on se croirait dans une école maternelle.

Magie du quatre-heures, desserrement de l'étau qui étreint le cœur. On rit, on se querelle, on s'active. On vit.

On a retrouvé, brièvement, le temps unique de l'enfance. Giratoire, il ne s'écoulait pas, et ce qui se déroule aujourd'hui à l'heure unique du goûter a une saveur – juste une saveur mais c'est assez pour l'oubli provisoire –, une arrière-saveur d'éternité.

Les sentiments dominent dans le rapport à la table. Ils n'arrêtent pas de s'accumuler, de s'approfondir. Voyez ce goûter. Baigné d'abord de certitudes familiales, lié à l'apprentissage ludique de la vie, il ne cesse, au cours du temps, de s'épaissir. Il devient tendre mémoire, puis nostalgie.

Parallèlement, de l'enfance à l'âge adulte, la nourriture se charge, non plus de ce qui fut donné, l'entourage familial et le pays où l'on vit, mais de ce que l'on choisit, librement cette fois, parfois contre ces père et mère qui tremblent toujours : les découvertes de l'amitié et de l'amour.

Pour ma cousine germaine j'ai eu un attachement qui se manifestait à table : nous partagions le pain, la viande, les frites, le dessert. On nous concédait cette fantaisie de servir les portions à une seule d'entre nous et les partages étaient des moments délicieux de tendresse, toutes tendues que nous étions vers l'autre et son plaisir. Aujourd'hui, j'y lis une façon de nous rendre sœurs, et mieux que sœurs, jumelles. Ces sentiments avaient beau être forts, ils ne sont pas comparables à l'exaltation que j'ai éprouvée à choisir une amie, à l'amener chez moi, à l'élire parmi la masse des autres, à manifester ma pré-férence aux yeux de tous. A l'avantager, si l'occasion s'en présentait. Avec elle – une fois l'une, une fois l'autre, je n'étais pas très fidèle –, les échanges d'objets ou de gâteries étaient marqués d'indulgence et de générosité. D'ailleurs, dans les grou-pes d'enfants, les injustices flagrantes venues de l'amitié étaient comprises et tolérées : « C'est son amie de cœur » excu-sait tout. Il m'arrivait de garder un bon-bon pour l'élue du moment. Il y avait la pomme recouverte de caramel rouge vif dans laquelle j'avais mordu – une fois toi, une fois moi – avec Alice. Ce paquet de frites de la foire où puiser équitablement. L'affection, ces amitiés que nous affirmions « à la vie, à la mort », se mesuraient au partage d'un délice.

Le jour où Alice m'invita à manger le repas que sa mère, partie au travail, avait laissé pour elle, je compris que j'étais son amie. Jusque-là, je n'étais sûre que d'une chose, elle était la mienne. Pauvre repas, en vérité. Deux ou trois pommes de terre bouillies dans leur peau, un œuf et, m'annonça Alice, « une surprise ».

Ce fut une vraie invitation. Elle avait mis soigneusement la table, disposé l'eau, les couverts, le pain. Elle avait fait une salade avec les pommes de terre, avait même cueilli un peu de persil pour les agrémenter, et afin de pallier le peu que représentait un seul œuf, elle avait préparé une omelette augmentée de quelques cuillerées de farine. J'étais aux anges.

Puis arriva la surprise. Il s'agissait d'un gâteau de pâtissier, de ceux que nous nommions « une grenouille ». Sa mère, plongeuse dans un beau restaurant, rapportait de temps en temps des restes. Alice, qui en était privée, comme moi, aurait pu choisir de manger seule ce gâteau. C'était un cône de crème au beurre posé sur une assise de biscuit et recouvert d'une pellicule de sucre glacé. Le haut du cône, fendu, figurait la bouche et les yeux d'un animal, membres et pattes étaient dessinés de traînées de chocolat. Elle le partagea équitablement et, munies d'une petite cuillère, nous le mangeâmes par prélèvements minuscules. Ainsi procédions-nous pour allonger le plaisir.

Plus tard, à l'internat, les caisses individuelles du goûter ne se partageaient qu'entre intimes. C'était l'âge des confidences avec Annie, Claudine, Nana, l'âge d'amitiés plus durables, de secrets de vie confiés. Ils sont liés à du thé, du Nescafé, illuminés du tulipier de Virginie du Jardin des Plantes, des platanes sévèrement taillés du Pérou.

Vinrent ensuite les amourettes et les amours heureuses ou malheureuses.

Il y a, où que je regarde dans mes relations amoureuses, quelque chose qui se mange et scelle l'accord ou le courtisement.

Joan, un Catalan, m'attira dans sa chambre avec les *buñetas* de sa grand-mère, un plein carton de *buñetas* qui brillaient de sucre et embaumaient la fleur d'oranger. Nous les mangeâmes sagement mais je ne doutai pas qu'il s'agissait d'une déclaration d'amour. C'est moi, d'ailleurs, qui ne répondis pas à ce sentiment.

De mon côté, je conviai un jour Michel à partager les grives que ma mère avait cuisinées et envoyées par le car. C'était ma façon de lui dire que je l'aimais. Si ce n'avait pas été le cas, j'aurais, par gourmandise, gardé pour moi ce mets délicat. Cette fois-là, c'est Michel qui ne répondit pas. Mais les invites étaient claires.

Offrir des *buñetas*, offrir un oiseau, quels symboles dont je ne savais rien. Que j'étais savante avant de rien apprendre, quand, sans chercher, je laissais parler le savoir reçu jour après jour de la table. En occitan, la « bougnette » désigne le sexe féminin, et l'oiseau le sexe masculin. Joan m'offrait ce qu'il attendait de moi, appétissant, glorifié, et préparé par sa grand-mère ; j'offrais à Michel ce que j'attendais de lui, que mon père avait chassé et, qui plus est, cuisiné par ma mère.

« La table est l'antichambre du lit », dit Léo Larguier, le savant et fin auteur des *Carnets d'une vieille cuisinière*. Ces paroles pertinentes ne sauraient connaître meilleure illustration que ces bougnettes et ces oiseaux. Prélude à la chambre, la table éveille les curiosités du corps et prédispose au sommeil bras à bras.

A celui qui devait devenir mon époux, je proposai, lors de l'une de nos premières rencontres, de lui faire cuire un œuf à la coque – c'était l'un des en-cas que je pouvais préparer sur mon Camping-gaz. « Comment l'aimez-vous ? lui demandai-je. Mollet ou plus cuit ? – Mollet », répondit-il. Peut-être troublée, je me trompai dans le compte des minutes et son œuf fut dur. Il le mangea sans sourciller.

Que de dînettes amoureuses où tout fut comme frappé d'enchantement.

Après le mariage, je me retrouvai dans une cuisine sans savoir rien faire – même pas cuire un œuf, preuve en était faite. Comme aucun féminisme mal compris ne troublait mes esprits, je pensai que tout cela était pour moi : les pots de cheminée vernissés, les casseroles neuves, la pièce peinte par mon époux en bleu et blanc. Je m'y mis avec détermination et une envie qui venait du jeu de dînette, de ce que j'avais vu se dérouler sous mon regard et que je devais maintenant mettre en œuvre.

C'est ainsi que j'entrai dans la magie, comme fée ou sorcière, demandant à ma mère, à ma sœur, à ma belle-mère telle recette, interrogeant une amie, m'inscrivant même à des cours pratiques donnés par la mairie.

C'était fini. J'étais prise au piège. Je devenais moi-même nourrissante, j'occupais la première place. J'appris – j'habitais une ville sur les bords de Loire – le tour de main du beurre blanc, la galette de sarrasin – nous étions à la limite de la Bretagne. J'en préparai pour les miens. J'obtins ce succès qui est gloire éphémère et toujours menacée de la réussite culinaire.

On n'entre dans les subtilités des gestes de la cuisine que lentement. Il m'a fallu plusieurs années pour acquérir des enchaînements très simples que je puis exécuter les yeux fermés. Une base de ragoût, une sauce blanche, une pâte à tarte, l'utilisation de l'œil et la main au lieu du verre mesureur et de la balance.

La becquée donnée aux bébés, les « soupettes », les gâteries qu'un jour l'homme et les enfants réclament, « Tu fais des beignets de fleurs d'acacia ? », les dîners tendres, c'est la table familiale. Premier Noël en tête à tête avec un menu de poissons. Il me demanda beaucoup de travail pour un résultat difficile à apprécier : nous étions si heureux. Repas ici, à La Serre où je vis aujourd'hui, serrés près de la cheminée. Qu'elles étaient bonnes la saucisse grillée et la purée Mousline. Nous avions froid. C'était chaud. La nuit des collines battait la porte. Pique-nique au bord de la mer, à l'embouchure de l'Aude, près de feux de bois roulé à blanc par la tempête.

J'étais portée par l'amour, vers les fourneaux. Je devenais la pourvoyeuse de mémoire comme on l'avait été pour moi. C'est une femme qui m'enseigna cela et je reçus ses paroles comme des lumières qui tout d'un coup jaillissent et dont on s'aperçoit qu'on les connaissait déjà.

Elle était du Nord. Je la trouvai dans sa cuisine, entourée de l'odeur protectrice du gâteau qui cuit. Déjà j'en étais amollie. Des tartes au sucre étaient posées partout. « C'est pour mes enfants, dit-elle, je leur fais un goûter avec une recette de mon pays. Je leur fais des souvenirs pour plus tard. »

Sourcière elle fut, qui libéra en moi l'eau vive. Inoubliable leçon éclairant le connu.

Je puis dire que toutes ces heures – dix mille environ, je viens de faire une multiplication – passées à me pencher sur le feu, vers les casseroles, m'ont construite d'amour, de patience, de savoirs. Je n'ai pas travaillé pour la table sans profits multiples. J'ai pris pouvoir sur le monde, autant avec les mets qu'avec les mots.

Lorsque je quitte les cahiers où j'écris pour surveiller l'oignon, augmenter la flamme, goûter le cassoulet et le moelleux du haricot tarbais, j'ai la certitude d'aller droit, avec les aliments, à une stricte réalité dont je ne veux pas me déprendre. Elle est pierre d'achoppement, cette réalité qu'il faudra avaler, intégrer à ma chair. Sans elle, je n'écrirais pas comme j'écris. Et j'écris comme je cuisine.

La littérature n'est jamais qu'une farce de mémoire, une bonne farce à envelopper dans sa crépine. Il a fallu trier, doser, cuire, ménager le rapport des goûts, se méfier des épices envahissantes, des sauces qui ne cherchent qu'à masquer. C'est afin d'obtenir un résultat final délectable et aussi utile. Car ce qui donne joie ou savoir profite à l'estomac, à toute la vie mentale, à la relation avec autrui. Sinon, comment expliquer qu'une lecture puisse nous habiter, nous transformer, nous hausser au-dessus de nous-mêmes, nous prédisposer, autant qu'un bon repas, à l'amour dans un lit ?

Si nous aimons tant palper, triturer avec les doigts, faire usage de la langue et des lèvres, c'est parce qu'il s'agit là de la prise de possession primitive. Puiser à pleines mains dans le ventre ouvert des poissons ces œufs qui éclatent en billes de renouveau ou cette laitance douce, vrai élixir sirupeux de vie, tenir l'os, boire le sang dans le creux de la main, faire aller directement le fruit de la branche à la bouche, recracher pépins ou noyau, n'avoir besoin d'aucun autre instrument que le corps lui-même.

Même après la découverte du feu les hommes poursuivirent leurs rites de communion directe. Il était si important d'être en prise avec la vie à sa source. Oh ! ils n'étaient pas si bêtes, ces ancêtres qui durcissaient le bois à la flamme, inventèrent l'art et furent capables de tuer des animaux dix fois plus gros qu'eux. Ils comprenaient par la faim, la difficulté à trouver pitance, par les rigueurs du ciel, les famines des temps sans récoltes. Manger avidement, en s'en mettant partout, manifestait le pur bonheur d'arracher à la nature, à grands efforts, leur part légitime.

Il n'y avait pas encore de manières de table, pas de grossièreté à profiter bruyamment des aubaines. Il n'y avait peut-être que la morale qui refrenât leurs élans : penser aux plus faibles. Mais pour cela, l'on peut faire confiance aux femmes.

En multipliant les objets entre les hommes et la nourriture, nous nous sommes éloignés du contact innocent avec elle. Innocent et plein de joyeuseté.

Il nous en reste de vagues traces. Les repas de chasseurs où non seulement personne ne craint de se barbouiller de sang, où cette onction au contraire est recherchée, le blé d'Inde des frères québécois qui poisse les doigts, la bouche jusqu'au nez et même les joues, cette orange aussi, que l'on s'accorde, coupée d'un coup de couteau en deux hémisphères d'or où l'on mord et dont ruisselle le jus, la pomme frottée où l'on croque. Il n'y a plus, brièvement, entre soi et la chose à manger aucun des outils sophistiqués que nous avons inventés.

Ce que nous prisions si fort dans le goûter d'autrefois, tripoter à sa guise, de tous ses doigts, celui qui cuisine le trouve dans l'intimité de la flamme et des casseroles. Le cuisinier manipule activement. Il sait le plaisir du triturage, des farcis quand ils caressent la peau fine entre les doigts, des épluchages et pétrissages de pâtes, intimes palpations.

Les multiples textures des légumes, les diverses résistances, nous les connaissons, nous qui aimons nous livrer à l'élaboration culinaire et sommes devenus des maîtres. Au même instant où nous voyons le blanc de poireau, nous en éprouvons l'humide et le doux par la pulpe des doigts – le vert c'est autre chose, qui est finement cannelé. Les haricots secs roulent soyeux dans la paume – il lui en restera comme un talc subtil. Dans l'intérieur de la cosse des petits pois je passe la langue, et toujours j'en mange quelques-uns ici et là sous prétexte de bien voir s'ils sont sucrés. La main tout entière devient conque pour l'œuf, la pelure qui double la coquille et enveloppe ce cosmos en miniature, combien de fois l'ai-je décollée, fine et résistante, souple comme une peau de chamois, et ai-je regardé la lumière à travers elle ?

Cuir ciré de l'aubergine associé à la couleur violette. Agrumes dont les utricules éclatent sur les mains et le visage en minuscules bombes froides. Peau pneumatique des poulets juste tués, douce tiédeur des duvets, du ventre où entre la main qui saisit d'une seule poignée les tripes et sépare ce qui est de la table et ce qui est du fumier. Panse fraîche et brillante des plats vernissés – qui ne les a pas caressés ? –, presque vivants car joue sur eux la lumière.

Charbonnier est maître chez lui. Je trempe le doigt dans la sauce, je goûte à la cuillère juste avec les lèvres, en analysant s'il y a assez d'assaisonnement – il est possible que je ne la lave pas, après. Je suce comme un bonbon salé ce filament de viande croustillant, attaché au fond de la cocotte, j'ôte de l'index ce qui a débordé, j'égalise, du doigt encore, le niveau de la mayonnaise dans le petit saladier – celui, ancien, de la mémé vieille, si joli que je ne veux point transvaser ma sauce. Qui le saura ? Je nettoie une casserole où j'ai préparé la sauce tomate ou la béchamel avec les doigts encore. J'ai toujours de bonnes raisons de goûter. Diable, il faut que je sache si le cardon a été bien épluché, s'il n'a pas dépassé sa cote idéale d'amertume, si la salade sauvage, de coquelicots par exemple, n'est pas encore ligneuse, si les feuilles ne sont pas trop velues, si la fève – deux fois pelée – s'écrase comme il faut, sans trop se défaire dans la bouche.

Les convives, eux, sont privés de presque tous les touchers des doigts, de la langue – elle sort de son antre comme une antenne pour saisir le lisse –, des lèvres que l'on passe sur le rebondi écarlate de la cerise, sur le velouté de la pêche. Tenue à deux mains, elle est pesante, douce et fraîche, elle donne une idée parfaite de la plénitude. C'est peut-être la terre que l'on tient ainsi. Comment viendrait-il de si jolies idées en pelant le même fruit avec un couteau et une fourchette ? Sans parler du noyau. Un de mes grands plaisirs est d'aller chercher tous les filaments de chair logés dans ses aspérités. Pourquoi ? De vagues pensées me traversent. Tous ces sillons irréguliers qui ressemblent à ceux de la noix... Il doit y avoir une raison à cette contorsion du fruit.

Peut-il y avoir du plaisir à s'armer d'un couvert lorsque l'on se trouve devant un crustacé ou un poisson ? A moins, bien sûr, de lui avoir fait subir les derniers outrages : filets ôtés, arêtes disparues, homard décortiqué. Hé ! rendez-moi les branchies, la carapace, la collerette d'arêtes bien rissolée qui entoure la sole. Ne m'ôtez pas les yeux par pitié. Il y a trois étapes dans la consommation de l'œil de poisson : la gélatine qui l'entoure, puis une partie très blanche, légèrement crayeuse, et au centre une bille dure, une boule parfois cuivrée – on peut la garder. Les yeux d'un merlan, d'un maquereau, d'une baudroie sont, avec les joues, une gourmandise rare.

Dites-moi comment manger des escargots avec pour les saisir cette pince qui ressemble à un instrument de chirurgie ? Il y a pire encore : l'escargot sorti de sa coquille et cuisiné. Il peut alors être piqué avec la fourchette. Où est passé le plaisir de sortir le petit-gris de sa coquille avec une pique à escargots ou, mieux, avec la longue épine du févier d'Amérique, parfaite pour cet usage ? Comment constater l'enroulement final, ces dernières volutes

sombres qui sont le foie, morceau délicieux si l'escargot a bien jeûné ? Plus de
coquille sur le rebord de laquelle appli-
quer ses lèvres pour boire le jus en ren-
versant la tête en arrière ? Malheur !
Sous prétexte de ne garder que les parties
comestibles, les ignares ont ôté le foie, le
prenant pour les excréments.

Croquer, sucer, aspirer le jus que
contiennent les branchies de la langouste
ou du tourteau sont liesse première, dont
la durée est augmentée des manipulations,
comme pour l'escargot.

Et les extrémités du plat de côtes
– mouton ou porc –, mâchées, libèrent
un mélange inimitable de sang cuit, de
sauce et de gras. Mais, après, il faudrait
recracher ce que l'on ne peut avaler – on
ne crache pas à table. L'os à moelle, si
l'on souffle dedans pour récupérer son
contenu, fait un bruit de trompette – on
ne fait pas de bruit à table ni avec la bouche ni autrement. « Ferme la bouche et
sers-toi de ta fourchette. Tamponne déli-
catement tes lèvres avec la serviette.

Arrête de te bourrer de pain, ça fait commun. » Effectivement, autrefois, chez les gens du peuple on reprenait les enfants : « Dis donc, ne mange pas sans pain. » « Romps ton pain, ne le coupe pas avec le couteau, ce sont des manières de paysan. Et n'essuie pas ton assiette avec la mie. »

Lorsque je suis seule chez moi, il m'arrive de lécher mon assiette. Il ne m'a pas suffi de l'essuyer avec du pain. Quand j'ai fini, elle est aussi nette que si je l'avais lavée. Je lève les yeux vers la fenêtre, ce ne sont que prés et bois. Pas un voisin à plus d'un kilomètre à la ronde. Je puis me permettre quelques dérogations avec le bon ton au profit de plaisirs primitifs.

Nous sommes devenus polis parce que nous nous sommes éloignés de la faim pressante et n'avons plus que de minces et furtifs plaisirs des mains, presque coupables.

Heureusement, il nous reste encore l'intérieur de la bouche et la langue, fragiles, innervées fortement, sensibles aux textures – ne pas oublier les joues.

Les pois chiches, durs comme des cailloux, qui font un bruit de grelot dans la main avant de cuire, on les déshabille, dans le secret de la cavité jouissante, d'un coup de langue, et chaque graine se scinde en deux. La fève, tendre « comme de l'eau », dit une expression populaire, s'écrase contre le palais – de dame Tartine – sans l'aide des dents. La fraise se situe entre deux sensations buccales : celle de la pulpe parfumée, aqueuse, quasi liquide, et celle des granules minuscules, durs, légèrement astringents – astringent, vous savez ? cette impression que la muqueuse accroche, qu'elle est rêche, au lieu de glisser, onctueuse sur elle-même. La soupe passée s'avale, la soupe en morceaux se mâche, donne à la fois la variété et le mélange. Avec les mêmes ingrédients, en changeant de texture elle a changé de goût.

Nous ne recherchons plus la sensation d'estomac tendu qui fit longtemps partie des joies de la fête chez les plus humbles.

Nous sommes donc dans de bonnes conditions pour nous attarder au toucher buccal, tourner et retourner un goût dans la bouche, lentement, pour l'écouter parler à notre tête, pour reconnaître ses résonances intimes.

Il y a toutefois un moment privilégié où retrouver une part de la liberté que nous avons tant prisée à quatre heures, autrefois, hier. C'est celui de l'apéritif, en tout cas de l'apéritif dînatoire.

L'autre, à base de chips, de cacahuètes, d'olives directement sorties de leur boîte, est à fuir.

On y boit kir et pastis.

Il n'y a rien de plus terrifiant que le kir, même nommé royal. Car on ne se sert pour le préparer que de vin blanc médiocre et de mauvais champagne. Si vin et champagne étaient de bonne qualité aurait-on imaginé de les poisser avec du sirop ? Accordons au kir une mention : il est rose. Cela fait joli sur une table. Quant au pastis, il empâte la bouche d'un goût de cachou dont on ne peut se défaire et qui rend impropre à la consommation d'un mets délicat.

Parlons de l'autre apéritif, celui, soigné, qui nous donne de belles heures.

C'est le soir. L'appétit est venu avec l'avancée de la vesprée. Rien de plus agréable que la sensation de faim lorsque l'on sait qu'elle sera comblée. Le temps passe, elle s'exacerbe. L'imagination flambe de plus en plus. L'eau vient à la bouche. Bientôt se pressent des images qui provoquent les dents. Une pomme de terre farineuse ornée d'huile verte. Un pain frais.

Arrive enfin l'apéritif où l'on va boire et grignoter.

L'alcool que l'on y sert peut être simplement du vin. Il y en aura du rouge, du blanc – faugères, paziols, pinet – et du sucré – un muscat du Minervois, de Barrubbio par exemple, ou un vendanges-extrêmes de Gaujal, un miracle de goût.

Le vin invite à la convivialité. Il fait tomber les barrières des convenances ou du moins il les abaisse. La porte scellée des secrets s'entrouvre, le geste est libéré, celui qui ose aller vers l'autre. Nous sommes plus vrais, plus existants dans le présent, plus indifférents aux conséquences de nos actes. Le futur s'éloigne et devient plus aléatoire encore. Le flot de la mémoire nous envahit.

L'heure de l'apéritif est propre à réveiller l'appétit des anorexiques de la vie, les envies du cœur, de l'esprit et des sens. Voilà l'invité dans une légère euphorie.

L'*aperire* latin d'où vient le mot prend tout son sens : ouvrir l'homme aux plaisirs de la gourmandise, à la curiosité, à la compagnie.

Quelle que soit la saison on y déambule. On s'assied comme on peut – il n'y a jamais assez de chaises –, par terre, sur quelque murette, sur une marche d'escalier. Tout dans la façon de s'asseoir dit qu'il s'agit d'une halte provisoire. On se lève pour aller se servir, on dit bonjour. Aucune obligation à demeurer où l'on est.

Après quelques phrases, on va vers une nouvelle rencontre, on se mêle à un groupe, à un autre ensuite. A son gré. Quelqu'un importune-t-il ? On le quitte. Une compagnie plaît-elle ? On la prolonge. On s'installe dans un coin, un peu à l'écart. Une chaise tirée sert de table provisoire. Un banc est investi. On a pu s'isoler pour une confidence intime, pour un courtisement, pour un débat politique, un cancan. Toutes les manières de se poser ou d'aller et venir sont possibles et légitimes. A peine sont-elles remarquées. Nous voilà loin des repas assis et des voisins imposés par une maîtresse de maison pas toujours fine psychologue et que la politesse nous oblige à entretenir, une fois à droite, une fois à gauche, une fois en face, de banalités.

On s'approche du buffet, à sa convenance. Plus, moins, pas du tout ou juste pour boire. Et merveille ! – on n'est tenu à rien : ni à l'ordre des plats, ni au vidage de son assiette, ni à une portion jugée convenable, ni aux compliments adressés à la cuisinière.

Dans cette magnifique liberté, propre à décrisper en nous tout ce qui est contraint, ligoté, curieusement c'est entre invités que l'on se signale les bouchées les plus exquises. « Avez-vous goûté le feuilleté de jambon cru et foie gras ? – Et en plus c'est joli, ces lignes alternées de rose et de beige », répond le plus proche en enfournant sa portion. Un inconnu précise : « Les beignets de morue ne sont pas des acras, ils sont portugais. Moins agressifs », il en fend un avec les doigts sous votre nez, « voyez le persil. Goûtez. » « Ne manquez pas les sardines farcies », recommande une invitée qui croque dans le petit triangle croustillant, en souriant aux anges marmitons. « Prenez le fromage, le petit rond, là, crémeux, pas le frais », dit l'autre la bouche pleine. « La tartine d'oumos... » « Cette portion d'omelette... – A quoi est-elle parfumée ? – Au cerfeuil ? – Je crois qu'il s'agit de coriandre. » Cela fuse de tous les côtés.

Qu'importe que l'on ait les doigts poisseux. Au contraire, on les lèche. Personne n'épie personne. Qui oserait, à table, poser la langue sur l'épice qui saupoudre ce petit cube de cantal afin de l'identifier ? Qui oserait renifler ? Revenir au plat précédent ? Négliger un mets proposé, aller dès le début vers le plateau de fromages dont, à l'œil, on a bien vu qu'il saurait combler, et se composer un repas de fromages, de pain et de vin ?

Tout est possible. Un air de liberté plane sur ces heures. Ce n'est pas sans rappeler le goûter par la petitesse des portions et l'absence d'assiettes.

Ce n'est pas le moment de se goinfrer mais de déguster.

Un soir, à Sablet, en plein été, lors d'une Fête du livre, une association d'amateurs – éclairés – de soupe offrit une douzaine de potages à déguster. Ils étaient servis dans des bols minuscules qui en contenaient trois cuillerées. De quoi se les mettre en bouche.

Le coin de cet apéritif remplissait le soir de parfums vraiment aphrodisiaques.

Il y avait une soupe corse où, au milieu des légumes, nageaient des filaments de porc salé et séché – des fonds de jambon, probablement, venus expirer là. Une soupe au pistou, bien sûr, Provence oblige. Une gratinée à la manière avey-ronnaise du nord du département, où pain, chou-de-cochon et fromage de Laguiole sont mélangés vigoureusement à la cuillère de bois juste avant de servir. Soupe de châtaignons, cévenole, couleur de rivière en crue, parfumée d'huile d'olive. Soupe espagnole fourrée de petits boudins noirs aux pignons, *potaje* aux pois chiches et à la morue, gaspacho frais au soir d'une journée torride. Un touril blanc, un touril rouge, soupes d'aube après une nuit de fête. Garbure aux hari-cots tarbais, si fondants. Et glacée, inat-tendue, d'un blanc de rêve, une soupe d'amandes fraîches sur laquelle était posée la nacelle d'une feuille de menthe.

Ce fut un enchantement. Pas d'intermédiaire de métal, juste les lèvres pour boire à même le bol et reconnaître, au passage, de la viande, du lard, un éclat d'amande, un pignon résiné, la fraîcheur du basilic au milieu de la chaleur du liquide. Parfois, lorsque je connaissais la saveur, je n'achevais pas l'échantillon. Il était transmis à mon voisin. Je voulais garder de la place pour la suite. La satiété était venue à attendre son tour, à savourer l'intimité avec le breuvage du bol de poupée, à écouter les explications des cuisiniers, à boire, avant de goûter un autre échantillon, un vin de Vaqueyras, le pays de Rimbaud du même nom, le savant troubadour des sextines.

Il ne restait plus, nue et sans impatience, que la curiosité.

Après, il fut question de passer à table, mais qui en avait envie ? Le beau soir provençal descendit sur nous. La conversation dura. Certains couples s'étaient évanouis dans la nuit.

C'est l'un de mes plus jolis souvenirs d'apéritif. Il m'avait ouverte à la beauté du paysage, aux images venues des pays incarnés dans ces soupes, à ces gens que je ne connaissais pas une heure plus tôt et avec lesquels nous évoquâmes les soupes de notre vie, tout ce qu'elles contiennent d'affections indéfectibles, de mémoire des voyages.

Il me revient un apéritif de nuit close, après un spectacle. Dans le parc d'un des plus beaux châteaux du Languedoc, venait de se terminer *La Nuit des fées*.

Une grande table était dressée, d'un blanc éclatant, et tous les aliments étaient colorés en bleu, de ce bleu de rêve du méthylène. Le fromage, les bouquets de chou-fleur étaient bleus, les radis violets. Des choses très simples comme des œufs durs ou des pâtes devenaient nourritures étranges. Les citrouilles en mini-légumes, bleu verdâtre, paraissaient attendre la baguette pour s'enfuir, ailées, vers les cimes des arbres. Des piles de sablés bleus restèrent un moment intouchées. Les fleurs bleues, à croquer, certaines confites, furent les premières picorées après l'hésitation inquiète – le bleu n'est pas une couleur comestible. De grandes carafes de boissons aux teintes dérivées du bleu s'intitulaient : « Semence de triton » – bleu-vert –, « Philtre de sang » – violacé –, « Elixir d'invisibilité » – bleuté, laiteux mais fort en alcool –, « Philtre d'amour » – au curaçao bleu. Ils brillaient de mille possibles.

Les noms ajoutaient à la magie de la nuit, du parc où la serre ancienne éclairait comme une énorme lanterne vénitienne, où les fées passaient scintillantes, aux limites du monde des mortels. L'une d'elles était accompagnée d'un lévrier blanc et le château, en fond de décor, s'illuminait de mille lumignons.

L'apéritif, j'y ai réfléchi surtout au moment où, élue, je voyais arriver les « pots » offerts par la municipalité. Il en existe toute une hiérarchie, du kir-cacahuètes à l'apéritif venu de la cuisine centrale avec des petits-fours froids, chauds et mini-gâteaux. Dis-moi quel apéro l'on te sert, je te dirai ta cote d'estime. A la fin d'un vernissage, la table situait exactement l'artiste dans l'esprit des élus. On voyait tout de suite s'il était connu ou non, cher ou bon marché.

Il faut dire, toutefois, que l'apéritif haut de gamme se répétait avec une affligeante monotonie. Pruneaux enveloppés de poitrine rissolée, canapés d'œufs de lump – noirs –, d'œufs de saumon – roses –, toasts garnis de deux pointes d'asperges directement sorties de leur boîte sur fond de mayonnaise en pot. Bref, ce n'était pas tellement meilleur que le kir-cacahuètes, les chips et les biscuits goût fumé, goût pizza, goût fromage.

Ayant un peu de pouvoir, la charge du Patrimoine et un budget, je décidai qu'en ce qui me concernait, tout allait changer.

D'abord, le Patrimoine m'y invitait, je soignai le lieu.

Selon la saison, j'utilisais l'ancien réfectoire des abbés avec sa curieuse chaire du lecteur installée dans l'épaisseur du mur, tout près de la lumière, avec son orgue de bois peint qui, ouvert, avait l'air, contre le mur appareillé en pierres blondes, d'un papillon posé et pouvait nous gratifier de quelque musique céleste ; j'utilisais quelquefois le moulin des Évêques sur la rivière Orb dont la terrasse offrait une vue unique sur le vaisseau de la ville, avec présence de l'eau, hirondelles chassant et odeur de rivière ; un musée aussi, malgré les protestations des employés qui trouvaient que « ça faisait des saletés », mais il fallait bien les brutaliser un peu, eux dont l'idéal était que personne ne marchât sur les beaux parquets cirés.

Cloître de la cathédrale et ses aigres concerts de martinets ; jardin des Évêques adorable et suspendu ; jardin Antonine, près de la pergola où un Tibre barbu versait l'eau d'une urne inépuisable, où les statues-gaines aux gros pieds nous surveillaient du coin de l'œil, dieux inquiétants, femmes sereines, divinités domestiques sans bouche ; salle Marinot dans les transparences des verreries de l'artiste et celles de la verrière criblée de pluie froide, serre de chaleur dans l'hiver. La découverte d'endroits pas toujours connus mais séduisants et d'inattendues gourmandises étaient proposées en ces heures d'apéritifs.

Je ne voulus plus de papiers sur les tables et, si les services étaient récalcitrants, nous portions des nappes de chez nous. Bientôt la petite équipe qui m'entourait se prit au jeu des nourritures raffinées et originales. C'était à qui aurait des idées. Toujours un bouquet apparaissait : feuillages pourpres de vignes, branches d'amandier sauvage, lierre d'hiver aux fruits métallisés. Un bouquet à rien ne coûte.

L'une amenait un plat vert où la pyramide de fraises en collerettes chanterait encore mieux. Une autre en se promenant avait repéré un chevrier, avait goûté et nous proposait les « cabécous » les plus délicieux. Une troisième se lançait dans des pascadettes à l'ail, au persil, aux lardons, aux pissenlits... *ad libitum.*

Pour un apéritif de printemps, Mylène et Françoise portèrent des cœurs de salade, seulement des cœurs blancs de sucrines à tremper dans du sel aromatisé. Nous frottions les pommes d'hiver afin qu'elles brillent comme vernies. Nous installions des grappes de raisin et, près d'elles, de petits ciseaux permettaient de se tailler un grappillon à sa convenance. Le pain était toujours spécial. Il est facile de trouver un boulanger qui se plaira à faire un pain d'une dimension un peu rare, à y inscrire une date, un mot.

Et ce n'était jamais pareil. Les invités, dès qu'ils arrivaient, regardaient du côté de la table, succulent spectacle éveilleur de désirs.

Bientôt, en ville, il se parla des apéritifs du Patrimoine et, l'appétit curieux des corps éveillant celui de l'esprit, certains peintres, certains monuments y gagnèrent des fanatiques qui ne le seraient jamais devenus sans cela.

Ainsi avons-nous créé, au sein des saisons culturelles, les saisons culinaires, dînettes délicieuses, les unes enjolivant les autres.

Les apéritifs du printemps réveillent les esprits allègres. Ils sont plus bruyants, la parole y est plus osée, provocatrice. Ceux du plein été sont indolents, volontiers sensuels. Ceux de l'automne et du printemps hésitent entre le dehors et le dedans. Ils aiment les fenêtres ouvertes mais aussi la possibilité d'un refuge contre les intempéries.

Quant à ceux de l'hiver, les choses y sont feutrées, sentiments et murmures amoureux sont de mise. Véranda d'une « folie », fauteuils, hall de l'école de musique où des élèves ici et là font sonner un violon, une flûte à bec, où s'élève le fond sonore d'un chant polyphonique, vous prédisposent aux choses fines et antédiluviennes.

Et si l'on sert des madeleines, c'est pour qu'exulte la mémoire.

Une des particularités des riches fut toujours de manger autre chose que le peuple : du rare, du cher, de l'exotique. L'étude des tables bourgeoises désigne ce qui, à un moment du temps, est considéré comme une nourriture raffinée, destinée aux bouches délicates – crêtes de coq, truffes entières, homards et langoustes dans les pays de montagne. Les menus des pourvus sont des pièges à rêves. Il semble, à ceux qui les lisent, que leur plaisir à en manger serait décuplé, changerait même de nature. A Béziers, aux alentours de 1905, un hebdomadaire local – précieux par tout ce qu'il raconte de la vie – remarque que les pauvres se plantent derrière la vitre des grands restaurants et regardent ce qui arrive sur la table des heureux du monde. On aimerait connaître leurs réflexions, on aimerait savoir si la police, de temps en temps, ne venait pas disperser les attroupements.

En revanche, la cuisine traditionnelle des pauvres, elle, qu'elle soit festive ou quotidienne, épouse exactement les terroirs et leurs paysages, car elle sut de tout temps se contenter des circuits courts. Elle a la douce saveur de la terre, elle est illuminée de l'inventivité sans limites qui sut faire bonne chère avec les bas-morceaux, les parties vulgaires, ce qui était dédaigné, parfois jeté.

Au lieu d'y lire l'orgueil, l'appétit qu'il faut réveiller avec des nourritures étonnantes, le jamais-goûté, on y lit le calendrier des pluies, la couleur du ciel, la texture du sol, l'argile ou le calcaire qui sculptent les reliefs, les végétations spécifiques, le temps qui tourne et qui est maître de ce qui pousse comme des hommes et cette ingéniosité qui fut l'art des femmes.

Aucun des plats caractéristiques d'une région, d'une province, d'un pays n'est un plat de château ou de grosse bourgeoisie. Tous sont des mets du quotidien ordinaire de tous ceux qui, à grandes suées, à grands efforts des reins et du dos, ont modelé les paysages agricoles qui nous entourent, si doux à l'œil et au cœur : ces prés dans la lumière de l'aube, ces vergers où la fleur réjouit l'âme et la bouche quand l'on songe au fruit futur, ces blés, ces orges, ces avoines pliables et cha-toyantes sous le vent, ces chemins tor-tueux bordés de fruitiers où il fait si bon aller sous le couvert des branches, ces col-lines exténuées de sécheresse où les oli-viers, à perte de vue, tiennent tête à l'His-toire, inséparables des villages immaculés et bleus, aux ombres rares, aux maisons tenues fraîches par peu de fenêtres.

Dans la verdeur transparente de l'huile d'olive, devant les amandes, dans la tar-tine de la Provence nissarde, les tripes de morue, la couenne soufflée, la pizza, le couscous, le bortsch, je vois des images. Ce sont celles, toujours associées, des plaines, vallées, plateaux, d'un four domestique, d'une pièce unique, de l'eau mesurée et lourde au bout des bras.

L'on vous sert, du côté de Moissac, pour Noël et même pour Pâques, un étonnant raisin frais – qui commence à peine à passeriller, voyez ces pays de miel et de velours où le chasselas est piégé dans des papiers entortillés, où l'on module pour lui l'air et la lumière dans de petits dormoirs, afin de conserver l'inconservable. Et c'est comme une bonne blague aux saisons. Il n'est pas le seul, le chasselas de Moissac. Ce raisin a des cousins plus modestes et inconnus : ces grappes des vignes ordinaires, pendues dans les greniers à l'envers – par la pointe de la grappe, afin que les grains ne se touchent pas –, soignées jusqu'à la fête, nettoyées en enlevant, un à un, les grains pourrissants de l'extrémité d'un ciseau. Ne pas toucher. Laisser faire la lumière parcimonieuse des combles. Il y a aussi dans le cœur du Languedoc, loin de la mer, la race blonde des servants, raisins à peau épaisse, qui vont dorant à mesure que passent les jours. Servants, comme serviteurs, mis au service par la volonté et la ruse des hommes. Le clocher de Saint-Pargoire apparaît, ou l'architecture des villages, leurs mails, leurs maisons étroites et hautes, les jardins bordés de figuiers et la ruée des vignes autour d'eux.

Le fromage de chèvre est plein de terres pierreuses à végétation maigre. La petite divinité barbue, cornue et fantasque, s'en contente. Elle fut l'aubaine des plus dépourvus auxquels elle donnait son lait presque sans arrêt jusqu'à la limite de la mise bas et un ou deux chevreaux l'an. Des gens sans terre, dans de pauvres maisons, en possédaient une qu'ils menaient paître l'herbe des fossés, au bout d'une corde. Dans ces mêmes fossés ils coupaient de l'herbe et des branches pour les lapins. Dans les quartiers populaires de Béziers, il y a moins de cent ans, vivaient un nombre incroyable de volailles et de porcs. Il fallait bien manger.

Lorsque l'on trouve, en Corse ou en

Aveyron, des brousses de brebis cuisinées au sucre ou au sel, on peut s'émerveiller que l'on ait songé à tirer parti du petit-lait de brebis, qu'on ait su le faire recuire – *ricotta*, *recuocha* – pour lui faire rendre une sorte de mousse goûteuse. Fermez les yeux en mordant dans la tarte, en mangeant les cannellonis farcis de recuite, voyez avancer le troupeau, fluide, lent, groupé entre les mamelons où les brebis broutent, là où il semblerait qu'il n'y a rien à manger. Et de cette image angélique passez aux blanquettes d'agneau, aux foies rutilants, aux poumons roses, nourritures d'angelots.

Le fromage de vache, lui, a de beaux yeux vastes où se reflète l'herbe entre les cils immenses. Près des haies vives coulent des ruisseaux. Car, il n'y a pas de miracles, verdure dit cieux chargés, averses, longues bruines, oies, canards, maïs et graisses fines dans des pots gardant moelleuse la chair confite, hommes au caractère enjoué, volontiers évaporé. Au contraire, la végétation sèche et odorante

– les herbes aromatiques ne le sont pas en hommage à l'humanité, l'essence aide à lutter contre la sécheresse de l'air – parle de sources maigres, cachées sous des racines dans des trous de ruisseaux, précieuses comme des yeux, de sécheresses longues propices aux pois chiches, aux poivrons, à l'oranger, à l'aubergine. Les hommes qui vivent là sont silencieux au travail et bavards sous les ombrages des villes et des villages.

Y a-t-il des recettes où intervient la châtaigne ? Fraîche, sèche, devenue châtaignon ou moulue en farine ? Déjà, l'altitude est de quatre à cinq cents mètres. Pas besoin de regarder par la fenêtre : des étagères dites laïsses, restanques ou bancels, escaladent les pentes et les châtaigniers montent jusqu'au ciel en de surprenants vergers d'arbres gigantesques. Pas besoin de regarder mais faites-le quand même pour la joie de l'œil. Respirez en juin, au moment de la floraison, une odeur totalement aphrodisiaque – chut ! Elle annonce les farinettes dont on épaissit le lait et ces gâteaux succulents et rustiques auxquels l'on ajoute, comme négligemment, une poignée de noix ou de pignons. Il s'en mange du côté de Pise. Le châtaignier, sa belle stature, son ombre lumineuse, accompagne la polenta de farine de châtaigne servie avec le chevreau rôti dans la Castagniccia. C'est l'exquis salé-sucré, cher au Moyen Age et à l'Orient.

Truffades, soupes variées au chou, s'illustrent des hautes terres du Massif central-ouest, neigeuses, vertes, froides et fortes. Les nuits y sont de gel, les matins de givre. Ce sont des terres de silence et de feu.

L'estofinade, où intervient le stock-fisch, à elle seule est un diaporama le long des rivières du Lot-et-Garonne, de plus elle raconte l'histoire des Anglais dans le Sud-Ouest. Depuis Bordeaux, en suivant les rivières, cette morue, sèche, boucanée mais non salée, remonta jusqu'aux plateaux d'Aubrac.

Les fritures contiennent les miroitements de l'eau, si diverse et si une sous ses multiples apparences. Les truites, habitantes des eaux vives, sont propres et fuyantes comme les torrents. Matins sur les bords de la Dourbie, quand le fil sortant de l'eau se couvrait de perles de glace, instantanément nées. Les goujons et les carpes ont, en fond de décor de leur chair fine, les gouffres verts ; les anguilles, les étangs saumâtres dont le gris s'éclaire des flamants roses, et je ne peux voir la sardine bleue, plaquée d'argent, sans qu'arrive, à travers son odeur, la mer qui bat les terres.

En voyageant, pour mieux saisir les pays c'est à la table des jours ordinaires que je mange. A Venise, je préfère les *vini* où l'on ne s'assied même pas, où mangent les travailleurs, en Espagne les bars à tapas. En Galice, à Comillas, dans une sorte de pension de famille, il y avait des tables couvertes d'une toile cirée fendillée et tachée, la lumière parcimonieuse tombait d'une ampoule trop haut perchée, mais quelle soupe inoubliable, quel lapin, moelleux à miracle et croustillant en même temps, et le joyeux étonnement dont nous nous fîmes part, en sortant, en partant marcher au bord de la mer ! Nous avions mangé à la table d'autrefois, celle où le pain mêlé de seigle tenait la place centrale, remplacé les jours de fête par le pain blanc, plus blanc que nappe et pain d'hostie.

En Andalousie, dans l'Alentajo, en Toscane, au Québec, j'ai voyagé en consommant les seuls mets qui signifient les terres dans leur profondeur temporelle : la soupe crue à la coriandre ; les tartines de gras de Montréal, un gras de porc, refroidi, coupé en carrés et doublé de gelée de rôti, mangé dans un snack populaire ; la tranche de pain amollie dans du lait et couverte de sirop d'érable, plus rapidement préparée que le « pain perdu » et moins onéreuse encore ; le sirop d'érable jeté brûlant sur la neige où il se solidifie en caramel, dans l'hiver joyeux des pays de froid long et profond.

En voyageant je mange et, ensuite, en mangeant je voyage. Dans les vergers et les jardins, les champs et les bois éclairés de girolles, sur les causses où je cueille l'oreillette – c'est l'hiver et j'ai l'onglée, mais ce champignon au pied décentré vaut de supporter la bise. Avec la gelée d'arbouses j'avale la garrigue, avec le porc la soue où l'on hâte son engraissement de pommes de terre à l'odeur si appétissante que l'on en mangerait. Il y a des paysages plein mon assiette. Des pays visités j'ai adopté certaines préparations simples : la soupe crue à l'alentejana, par exemple. Elles sont entrées dans mon quotidien par ce biais et je voyage encore en les consommant. Comme si je ruminais des souvenirs d'hier.

Lorsqu'en janvier j'entame le jambon de l'année précédente – plié et cousu dans une toile –, il a respiré lentement pendant quatre saisons, le geste du grand couteau brillant appelle tous les jambons de ma vie. Je vois, au mas de Roque, à Jossely, à La Vialette, le porc ouvert en deux qui fume dans le froid, le sang répandu sur la neige, la vessie gonflée à la bouche comme un ballon-réclame pour faire plaisir aux enfants, la table et les planches à découper où nous débitons la chair.

En hiver, avec pissenlits, coquelicots, tamiers, houblons, je vois le printemps en marche dans la transparence des bois de chênes. C'est une communion panique. Avec la fève, tous les jardins me montent à la tête, ceux des bords de l'Orb, ou du Dourdou, ceux qui étonnent quand on les découvre depuis le RER, ceux des ouvriers du « Pays noir » – lorsque l'on vient de visiter les musées de la Mine. Ils émeuvent, ces rectangles égaux où vinrent se ressourcer comme on respire en surface ceux qui arrachèrent le charbon dans le noir de la terre. Et la paix en songeant à eux, m'envahit. C'est celle de l'heure des arrosages.

Lorsque je rapporte mes paniers remplis de « viandes », au sens ancien de comestibles, et que je les pose dans la cuisine, ce n'est plus tout à fait chez moi que je rentre mais dans une cuisine qui traverse le temps, comme s'il n'y en avait jamais eu qu'une, depuis l'abri sous roche, lieu immémorial dont celle où je vis n'est qu'un avatar.

Une fée en tablier, une sorcière de lumière, à gestes venus du fond du temps, hume, écoute, dose la flamme, les épices et le sel.

Les images qui accompagnent le manger et se tissent aux plaisirs de bouche parlent non seulement de paysages mais de petits pays ou d'espaces plus grands qui n'ont rien à voir avec les découpages administratifs.

Si les étangs de Méditerranée sont séparés entre PACA et Languedoc-Roussillon, ils ont une unité de ton, d'odeur, de paysage filiforme, presque chinois, avec leurs fines lignes séparant le ciel de la mer et la mer de la terre. La vigne, elle, ponctue des terres différentes, d'une géométrie à la fois variable et semblable. En Alsace, en Bourgogne, je ne suis guère dépaysée, même dans la Drôme où les ceps escaladent la montagne. Je suis chez moi autant par l'œil que par le goût du vin. Nous parlons la même langue de saveurs, de composition des sols, de vendanges tardives. Le « vin de voile » de Gaillac, le vin de paille pyrénéen, le « vin d'une nuit », m'aident à entrer dans des techniques autres – mais apparentées – d'élevage du vin.

Mais il y a plus grave, plus profond dans le rapport entre la terre où l'on vit et la nourriture. Des pays tout entiers, des nations, s'incarnent dans des mets et se fortifient par eux. Il ne s'agit plus d'agréables images qui passent et enjolivent les goûts mais de résonances profondes, nostalgiques, amères ou douloureuses.

Parmi les pays perdus, il y a celui où nous sommes nés et que nous avons dû quitter pour le travail ou par le mariage. Beaucoup ressentent ce départ comme un arrachement. Les choses sont d'autant plus lourdes et ambiguës qu'il s'agit d'un pays lié à l'enfance. Vivrait-on là exactement où l'on a toujours vécu que non seulement l'enfance mais la jeunesse seraient à jamais perdues.

Ceux qui ont dû émigrer, comme le disent sans rire des Provençaux venus habiter en Limousin, imaginent que s'ils étaient restés, les choses, les gens, l'âme du lieu n'auraient pas disparu, que leur présence les aurait empêchés de fuir. Au début, ils se sont juré de revenir. Mais la vie tisse ses liens et un beau jour, ils s'aperçoivent qu'aucun retour n'est possible et ils portent alors, enfoncée dans le cœur comme un coin, une terre rêvée où le bonheur paraissait plus facile à trouver et à garder, où existait, croient-ils, une relation aux autres plus chaleureuse.

Cette certitude, toute fausse, ils l'entretiennent par le temps des vacances, privilégié, par des retrouvailles épisodiques qui laissent intact le plaisir d'évoquer le passé en mangeant ensemble. Et l'on mange quoi ? Ce qui signifie ce pays. Lorsqu'il n'y a pas de famille, il reste le boucher, les commerçants de la ville ou du village et tout le monde affirme, épanoui, que « c'est bien meilleur ici ». Il suffit peut-être de le croire.

De ces vacances, ils rentrent plus sûrs encore d'avoir laissé dans leur dos la joie possible dans des travaux communs. Quelle liesse d'aller à la bergerie, d'aider à remonter un mur, de pourvoir à des tables familiales ou amicales où l'on a consommé le confit gardé pour nous par le cousin, l'oncle ou le frère, le bocal de cèpes « du bois de Marianne », les fruits ramassés sur l'arbre, les charcuteries de Lacaune.

Lorsqu'il n'y a pas de retour pour les congés parce qu'on est parti trop loin, que l'on n'est pas assez riche pour le voyage, l'hôtel ou l'achat d'un bout de maison, le rêve ne cesse pas pour autant.

Les « Gens de l'Hérault à Paris », les Aveyronnais du Canada, de Paris, bien sûr, mais aussi de Londres, « les Auvergnats », « les Espagnols » installés à Béziers, et autres exilés de Bretagne, de Provence, du Portugal, d'Italie, se réunis-

sent et mangent, l'aligot, l'aïoli, les tri-
poux, les pieds-paquets, les patous, les
trenels, le cassoulet, les crêpes de sarrasin,
la morue, le poulpe grillé, *la pasta*. Ainsi,
ils sont un peu chez eux.

Par ailleurs ils se tiennent au courant
par un abonnement à *L'Auvergnat de Paris*,
au *Saint-Affricain*, trouvent les nouvelles
indispensables à la continuation du lieu
– on a planté le mai devant la maison du
nouvel élu, on a changé la porte du cimetière –, mille petites pierres du vécu qui
construisent ce quotidien auquel ils ne
participent pas : mariages, naissances,
décès. Savoir ces choses-là est important
pour l'appartenance, en tout cas pour une
génération. Les descendants perdront le
fil des renseignements qu'ils ne savent
plus situer. Demeureront le *fréginat*, le
bleu des Causses, la noix.

Ils communient, ces gens assemblés. Ils
signent en buvant et mangeant leur filia-
tion à un pays dont le découpage et la
géographie n'ont plus que la logique de

leur imaginaire. Leur vie tout entière la nie. Qu'importe.

Quelle part d'eux est présente au festin, irréductible ? Quelle utopie sont-ils en train d'alimenter ? Qu'il existe une terre de référence, une aune des valeurs morales et du bonheur d'exister ? Cela les aide comme un viatique. Il y a peut-être une part de vérité dans ces consommations rituelles. Dans la profondeur de la matière corporelle, ne sommes-nous pas construits de morceaux d'un certain monde ? Est-il si étonnant que l'être, informé par la bouche, s'épanouisse à les retrouver ?

A la fin du XIXe siècle, un Aveyronnais, Clément Cabanettes, prospecta le département pour proposer des lots de terre en Argentine. Des lots de trois cents hectares d'une terre intacte comme au jour de la création.

Les nouveaux colons embarquèrent le 23 octobre 1884 avec curé, pierre d'autel consacrée, femmes, enfants, institutrice. Ils partirent avec ce qui faisait leur force : la religion, la famille, le savoir-faire agricole, avec la soupe aux choux, aux raves, à la courge, à tout... et à l'os de jambon, avec l'artisanat domestique de la volaille, du lapin, et surtout du cochon.

Depuis douze mille kilomètres, on ne revient pas. Mais ces Aveyronnais de Piguë, de la Pampa, pendant plus d'un siècle gardèrent leur langue d'oc, leur langue française, leurs structures sociales, familiales, leur dieu, leurs chants. Et leurs recettes.

Dans les années quatre-vingt, des enregistrements ont été effectués auprès des plus anciens migrants. Leur langue d'oc était magnifique, leur français choisi. Bientôt, ils seraient fondus dans la langue dominante. Il leur reste des noms de famille, quelques mots de moins en moins nombreux, et, en eux, la certitude d'appartenir au pays de Nasbinals qu'ils confortent à travers ces nourritures qui rassemblent.

La cuisine est le dernier bastion où se loge la terre d'origine. La langue est perdue, toujours, la première. Suivent, plus lentement parce que plus faciles à porter, certaines habitudes, le folklore, pas dérangeant, la religion même. Mais on ne balaie pas comme ça l'estoufat, la paella ou la pasta. Cela dure et entretient une identité de plus en plus réduite.

Les Polonais des bassins miniers du Massif central, ceux-là mêmes dont les

parents et les grands-parents sont enter-
rés à Carmaux, à Graissessac, à Aubin,
ont avec le nom gardé la tradition de petits
raviolis dont ils font leurs délices – délices
de l'esprit autant que du corps. Ils sont
inséparables des ancêtres et de la lignée
mais aussi de la source terrienne de leur
sang collectif, ils sont un salut à un peuple
auquel ils n'appartiennent plus mais dont
se réclame une part d'eux.

Les Corses de mon quartier entrete-
naient leur corsitude d'un colis annuel de
charcuterie. La voisine de mes parents
leur apportait comme un cadeau précieux
un morceau de *figatelli*, un bout de *niolo*.
C'était un joli don d'elle-même. Les Espagnols de mon enfance faisaient toutes
leurs fritures à l'huile d'olive. Cela ne plaisait pas à tout le monde. Les odeurs de
cuisine différentes dérangent. Au fond de
soi, sans le savoir, on doit comprendre
qu'une part difficile à assimiler y loge.
C'était le cas des gens de mon quartier. Ils
affirmaient que c'était « fort » et que cette
huile fruitée donnait à leur cuisine un goût

à la limite du mangeable. Ils ne se rendaient pas compte que nous, gens du pays, faisions régner des odeurs puissantes d'oignon et d'ail rissolés, de sardines grillées pour lesquelles on ouvrait les fenêtres afin qu'elles fuient dans la rue. Ablettes, goujons, crevettes grises jetées dans l'huile bouillante, si vivantes qu'un dernier coup de queue avant la mort les faisait jaillir de la poêle, nous n'arrêtions pas de frire chez nous.

Aujourd'hui, à l'ère des bombes désodorisantes et des hottes aspirantes, je suis orpheline des bonnes et tenaces odeurs de cuisine. Je ne les trouve et les respire avec joie que dans les quartiers maghrébins. J'aime, en entrant dans ma cuisine, au matin, à l'heure encore grise du premier café – sucré au miel –, respirer le ragoût de raves de la veille, les œufs sur le plat ou les pommes au four. Ces parfums refluent derrière celui du café frais qui restera, en souvenir de l'aube jusqu'au moment où il conviendra de préparer le repas de midi. Ainsi, les odeurs se suivent et se chassent, liant la table à la table.

Les Di Fiore, Italiens de Capri, recevaient eux aussi leur part de pays dans des paquets de pâtes, et Evelyne, leur fille, sans savoir la langue chantait de petits refrains en italien. Lydie Grau, la Catalane, sortait, une ou deux fois l'an, pour son goûter, une rousquille ou un bout de touron.

Les Fraïsse « montaient » chaque année à La Salvetat pour y acheter un jambon. Si j'en ai beaucoup entendu parler comme d'un mets rare et presque exotique – la « montagne » était si loin ! –, je ne l'ai jamais vu, ni entier ni même en tranches. Il était trop précieux pour qu'un morceau accompagnât le pain du goûter de Clairette.

Certaines régions de France n'ont pas de plat emblématique. C'est un grand malheur pour les réunions d'amicales diverses. Les « Enfants de l'Hérault » sont tiraillés entre mer et montagne. Heureux le Gard qui a l'embarras du choix, il possède la brandade qui peut aller dans tous les coins puisque le poisson salé a toujours voyagé. Il possède aussi l'aïoli. Heureuses Aude, Haute-Garonne avec leur cassoulet dont seules les préparations varient. Elles sont le sujet de grosses guerres : avec ou sans couennes, avec ou sans confit, vin blanc ou non. Le fait de savoir où est le « vrai » cassoulet n'a pas peu contribué à l'identité de Castelnaudary, du Lauraguais ou de la Corbière. L'Aveyron a les tripous, petits paquets de tripes, bien pliés sur des assaisonnements, noués d'un ruban de tripes et mijotés, il a les trenels, la gratinée au chou et le vin de Marcillac.

Certains plats très spécifiques ont émigré, la pizza, la crêpe, l'aligot de l'Aubrac, le couscous, la fondue. Si ces préparations, à l'origine très liées à un terroir, à une utilisation, ont essaimé, c'est qu'il s'agit d'une cuisine bon marché qui permet à peu de frais les assemblées amicales. On peut leur pardonner de n'être plus typiques au nom des joyeux coudeà-coude, du plat à paella gigantesque qui répand depuis un feu proche des convives une odeur appétissante. Peut-être, au bout du compte, n'est-il pas si important de n'avoir qu'une qualité moyenne. Une année, je fus marraine du Téléthon et, en faisant la tournée des popotes pour dynamiser les participants, je trouvai partout, ou quasi, la paella. Mais comme ils étaient vaillants et heureux, tous ces gens qui nageaient, couraient, tiraient à l'arc pour la recherche !

En revanche, certains plats demeurent dans leur lieu. La « tielle de Sète », à base de petits poulpes, n'est allée qu'à Montpellier et Béziers. La « cade » et la « socca » ne se trouvent qu'à Toulon et Nice. Le « cagarolat » de petits-gris de vigne est lié à des zones étroites. On ne sait trop pourquoi. On a pu avancer que la farine de pois chiches était difficile à trouver, que l'escargot c'était « particulier » – certains sont dégoûtés – et délicat à préparer. Plus rare aussi. On ne sait. En tout cas, Catalans, Sétois, Niçards savent que cagarols, tielle, socca sont à eux. Ils s'en délectent et les revendiquent comme un patrimoine.

Il arrive que des patries soient définitivement perdues, sans espoir, même d'un vague retour. Pis que perdues, mortes.

Ce fut le cas de la Russie des tsars. C'est le cas des colons d'Algérie. Ce qu'ils ont laissé derrière eux n'existe plus.

Ils arrivèrent dès 1960 vers la mère patrie. Ils ne savaient pas qu'il y avait quelque chose d'infranchissable, d'invisible, au milieu de la Méditerranée. D'un côté, un pays qu'ils croyaient être le leur, de l'autre des idées nouvelles, exaltantes, le droit des peuples à disposer d'eux-mêmes, le refus du colonialisme, l'acceptation de la chute des empires. Ils arrivèrent comme des résidus d'Histoire, n'ayant de place nulle part, ne pouvant même pas parler de leur douleur. Ils rencontrèrent l'hostilité, l'incompréhension. On se méfia d'eux, on moqua leurs habitudes, leur accent, leur gestuelle. Qui s'est penché, fraternellement, sur leur destin ?

Alors ils se sont rassemblés. Ils ont ramassé les haillons de ce qui avait été leur vie et leur terre.

La rue monte, droite, entre des blocs de HLM ni gais ni beaux. C'est le jeudi de l'Ascension dans la ZUP du Mas des Mingues, à Nîmes. Comme chaque année, le pèlerinage de Notre-Dame-de-Santa-Cruz va commencer, celui des pieds-noirs d'Oran.

Du temps où ils avaient encore une patrie, il avait lieu jusqu'à une éminence au-dessus de la baie d'Oran. Une statue dominait le paysage, installée en remerciement d'une grâce reçue. Les pèlerins y montaient à pied, joli rapport avec l'Ascension, et après l'office mangeaient joyeusement leur casse-croûte, comme dans tous les pèlerinages du monde.

La foule qui avance, à Nîmes, est grave et silencieuse. Elle marche au plus profond d'elle, au plus douloureux de la mémoire, dans un élan désespéré vers une divinité située à la verticale de son malheur. Ici et aujourd'hui, il n'y a aucune consolation possible.

Avec le flot des pèlerins, je passe d'abord devant des stands qui tous proposent des nourritures, celles-là mêmes qui ponctuaient leur vie. Il y a de grosses piles de *mouna*, des *mantecaos*, des *bourrachos* à l'anis, des « mouchoirs » de pâte croustillante pliée comme du linge, la galette pour préparer le gaspacho, non pas la soupe froide, mais le ragoût de viandes mêlées. Une affichette précise le nom du boulanger-pâtissier et son adresse à Oran. Ainsi, on est sûr d'avoir la bonne recette exécutée dans la tradition, sans rupture – la rupture est si grande de la vie, qu'au moins demeure cette continuité. Les bouchers, eux aussi estampillés, proposent soubressade, longanisse, merguez, rate farcie. En plein vent, dans des poêles géantes se prépare la paella aux poissons ou la *frita*.

Il ne s'agit pas de viandes ou de pâtisseries ordinaires. Ces gens achètent leur pain de communion. Il se vend une nourriture d'âme, de mémoire, de douleur, d'ancêtres effacés. Quand plus rien n'existe, ni cimetière où se recueillir, ni lieux où déambuler, ni patrimoine de pierres ou de terre, ni amandiers ni orangers, si la mémoire ne reste pas vive, si elle n'est pas entretenue, tout est condamné à revenir au néant. Ils tentent, en ce jour de Santa-Cruz, de retarder l'heure de l'anéantissement avec ces nourritures préparées par un des leurs, sacrées et pures pour cela. Ils emportent pour demain des charcuteries, de petits boudins noirs, de la farine de pois chiches pour préparer la *calantica*, un morceau de morue de « là-bas ». Ils disent souvent « là-bas » et « autrefois ». « Regardez les photos, conseille l'un d'eux. Voyez comment c'était quand vous êtes partis. Ne cherchez pas à savoir comment sont aujourd'hui les villes, les villages et les champs. » D'autres racontent qu'ils n'ont quitté l'Algérie qu'à la fin de 1962. « Nous avons tout vu. Tout », répètent-ils. Dans cette ellipse sont inscrits un des drames de l'Histoire et quarante ans de rumination. Demain, derrière les portes closes, ils mangeront la rate farcie de Garcia ou de Martinez et parleront à voix à peine audible de leurs résistants.

Au bout de la rue s'arrête le commerce des nourritures. On entre alors dans le domaine des cierges, des lumignons, des images pieuses, des chapelets et des roses. Dans une chapelle, la statue de Notre-Dame-de-Santa-Cruz est dressée. Elle est un morceau tangible du pays. Les pèlerins, après avoir prié, posent la main sur le bas de sa robe ou sur ses mains. Elle n'est pas une image ni même un signe, si important qu'il soit. Elle est réelle. Elle est venue de là-bas dans un colis, empaquetée. Tout le reste, en eux, est tellement brumeux, mouvant dans la folle mémoire et s'affaiblit, comme les échos sonores, à mesure qu'avancent les générations. La mémoire s'évapore. Mais les images fuyantes se sont raffermies d'une bouchée de *mouna* et du sucre grossièrement concassé qui la recouvre. Dans un péri-mètre très précis et étroit autour de la statue, c'est le silence et les larmes.

C'est aussi le ballet des ombres. Car chacun porte au revers de la veste son nom et son adresse de là-bas. Ils arborent l'ombre d'eux-mêmes et cette ombre cherche à retrouver un parent, un ami, quelqu'un qui aurait connu leur famille, qui pourrait restituer un jalon, même infime, du passé. Ils vont de groupe en groupe, dans les quartiers matérialisés par un écriteau sous lequel se rassemblent ceux d'Eckmühl, de La Marine, de Mira-mar. Se dressent aussi, au-dessus des têtes, les pancartes des villages de la douce Oranie : Saint-Cloud, Tlemcen, Sidi Bel-Abbès. Il se reconstitue, pauvre et décharné, incolore, une géographie, un plan de ville.

Dans le silence ces noms appellent. On se rassemble. On s'étreint. Beaucoup pleurent. Il flotte l'odeur des roses.

Portée à dos d'homme la statue monte jusqu'à une éminence où il y a eu une carrière. Là-haut est bâtie l'église. Le terre-plein domine la masse des HLM, la masse des pèlerins. Il y en a eu jusqu'à cent mille. Aujourd'hui ils sont environ cinquante mille à venir régulièrement à Santa-Cruz.

Dans les failles de la roche ils déposent des cierges et des cierges. Une marée de lumière. En ce jour où je m'y trouve, mêlée à eux, il pleuvine et les flammes crépitent sans s'éteindre.

C'est une grande beauté tragique, car chacune est un mort, brièvement appelé, par ce qui est le moins matériel : la menue flamme votive. L'une des grandes revendications des pieds-noirs, jamais réalisée, était que les restes mortels déposés dans les cimetières reviennent près d'eux, qu'enfin posés en un enclos par les vivants ils gardent en retour les vivants. Il a toujours été senti comme la pire des misères que les corps des morts soient éparpillés.

A Tanger, j'avais vu le cimetière catholique. Il avait été pillé. Les tombes béantes, les planches des cercueils tachées des humeurs de la mort, rendaient le lieu hallucinant. Mais il y avait pire. Une petite fille – dix ans, disait la pierre tombale renversée dans l'herbe – inhumée dans une robe de satin rose restait là, à la face du ciel. Par bonheur, les cheveux répandus empêchaient de voir le visage. Il n'y avait que les os délicats des mains, blanchis par les intempéries. Est-ce que des images de cette sorte habitaient les pèlerins de Santa-Cruz ? Les pauvres bien sûr, les plus nombreux des rapatriés, car les plus riches, depuis les débuts, avaient pu payer les transferts des cercueils de leurs familles.

Des flammes mouvantes à la géographie évanescente des rues et des villages, jusqu'au nom proclamé sur soi, tout à Santa-Cruz est étayé de nourritures bien concrètes.

Et encore une fois, il s'agit de recettes du peuple. La *mouna* est un gâteau nu, sans crème ni fruits, frais ou confits ; les merguez ne sont qu'une saucisse fine, et qui aujourd'hui préparerait une rate farcie – il s'agit d'une « poche » de bœuf ?

Ces préparations humbles racontent un quotidien d'économie et non l'outrecuidance de colons triomphants. Ils ont été cuisinés par les mains connaissantes des artisans des rues populeuses qui descendaient vers la mer. Et les bouquets de roses sont à l'avenant. Il s'agit de petites roses serrées en bottes et non des fleurs somptueuses vendues à la pièce.

Au Mas des Mingues, dans un paysage aride de blocs, la pauvreté savante des recettes populaires prenait tout son sens.

Et chaque année, il faut, une fois encore, accomplir le rite jusqu'au jour improbable où les morts seront enfin réunis aux vivants. Et tous en paix.

A cause du lien entre les nourritures et les morts, le pays mort, les morts inaccessibles de la lignée, je ne puis m'empêcher de songer à ce repas qui ici, dans le pays où je vis, suit les enterrements. Il est possible que cette pratique soit en voie de disparition. Déjà les pompes funèbres du village proposent aux familles de louer une chambre dans un « athanée », un de ces hôtels pour morts où l'on s'occupe de tout. Mais ce sont des lieux glacés.

Personne, pour le moment, ne meurt sans une foule rassemblée, et avant la dispersion de la famille et des amis proches un repas est offert. Le souvenir, lui aussi, est ainsi rassemblé et alimenté.

On ne mange pas n'importe quoi à ce repas des morts. Il doit être copieux sans être festif. Aucune règle n'en fixe le menu mais on peut faire confiance aux femmes pour savoir ce qui est convenable ou non. Souvent, on y sert de la soupe, ce bastion des repas de tous les jours.

Sa chaleur aide, autour de la table, à faire masse pour occuper la place vide – le souvenir n'aime pas le vide et il ne cesse de le meubler. La soupe, en outre, dans le langage, aujourd'hui encore, désigne le repas tout entier, comme le pain. On invite à venir « manger la soupe », à « casser la croûte ». Soupe et pain : la table tout entière.

Le plus souvent, ceux que le décès touche au plus près ne s'occupent ni de la préparation ni du menu de ce repas. Des personnes moins affectées s'en chargent, discrètement, silencieusement, laissant à ceux qui mènent le deuil le soin de recevoir les visiteurs, de les conduire jusqu'au lit du mort, de prier et de pleurer avec chacun et puis de revenir s'asseoir dans la pièce où l'on offrira le café, la goutte, un petit biscuit, on l'on parlera du mort, où l'on sentira les odeurs du repas qui se prépare. C'est une belle et bonne chose, après avoir passé un moment dans la pénombre de la chambre mortuaire, tenue fermée, de se trouver dans la maison vivante de celui qui hier encore l'habitait.

Ces derniers mois j'ai fait la visite chez Jacques, chez Michel. Ils étaient plus beaux sur leur lit d'apparat qu'ils ne l'avaient été dans la vie. Chaque fois j'ai bu et grignoté dans la cuisine de leur quotidien, dans le décor où tout à l'heure la parenté rassemblée mangerait ce qui cuisait – le bruit et l'odeur annonçaient une volaille rôtie. Tous rassembleraient une mémoire du mort, un peu comme une gerbe de bon grain, mais aussi ils glaneraient les nouvelles de la communauté, parleraient des départs, des mariages, des situations, des naissances.

Tout cela dans la décence, sans dépasser les limites strictes bien que non écrites auxquelles les femmes veillent tout en servant – ni rires intempestifs, ni grivoiseries, ni ivresse, concédée seulement aux veufs qui allaient entrer, désarmés, dans la solitude.

Chez Jacques, en buvant le café dans la cuisine pleine de buée, parfaitement en ordre, le mort près de nous, mais déjà ailleurs – et tout le disait, les volets clos, le cierge, le chauffage éteint, la pendule arrêtée dans la chambre –, je pensais que tout était en place, réglé. Les espaces parfaitement définis se côtoyaient. La vie – la cuisine –, la mort encore proche – la chambre –, la mort rangée dans la communauté du cimetière.

A Santa-Cruz, il manquait cruellement, le cimetière. Il ne restait que le souvenir, et le repas aussi fort que les libations antiques de lait et de vin.

Depuis le premier lait, depuis la femme qui le donna, aujourd'hui peut-être un homme, qu'importe, ce qui compte c'est l'amour et il frémira dans tout ce qui se mange, le rapport à la nourriture ne cesse de s'enfler.

Si manger accompagne les enjeux les plus graves : la mémoire, l'amour, la mort, s'il en devient le support et le signe, en lui-même il n'a rien de grave, les échecs y sont bénins, les déceptions aussi. On arrivera à rire d'une déconvenue, elle deviendra un bon souvenir.

A table, l'on peut éprouver un bonheur parfait, une plénitude physique et morale. Mais on le sait, la nourriture n'est pas cette plénitude. Partout ailleurs qu'à table, les joies sont craquelées d'inquiétudes, de doutes, du sentiment de la finitude.

Anodine, la nourriture n'en est pas moins un gigantesque gisement de mémoire individuelle et collective, elle est un lieu où nous pouvons nous décrypter.

Lorsque l'on dit : « J'ai faim », avant même que le premier morceau ne parvienne à la bouche, s'éveillent, bougent, déferlent des sentiments et des images, ce que l'on sait, ce que l'on croit savoir, des forces obscures capables d'augmenter, de sacraliser ou d'anéantir le plaisir escompté.

Les peurs, les croyances alimentaires, la magie noire ou blanche – guérissante –, les vieux dieux inconnus, les religions plus récentes traversent les menus. La table est dressée au centre des sentiments, de la mémoire, mais aussi au centre de la mort et contre la mort.

Avez-vous assisté à ces challenges où l'on concourt pour le titre du plus gros mangeur de tripes, de boudin ou de saucisses ? La trivialité de ces spectacles n'empêche pas la foule d'y assister. A Saint-Paul-de-Fenouillet, celui qui avalera le maximum de croquants recevra son poids en vin du pays. Le croquant est un biscuit aux amandes, à la fois dur et sec, exquis au demeurant et d'apparence aérienne, le liant n'étant pas de la farine mais du blanc d'œuf. Les candidats peuvent s'aider de verres de muscat.

Sur le visage des spectateurs se lit la fascination qu'inspire le gros mangeur, celui qui engouffre la nourriture comme un ogre, rouge, exorbité, la bouche active grimaçante. Personne ne détourne les yeux de l'homme tout livré à l'acte de manger car il transforme son corps en silo, en grenier contre toutes les disettes.

Jusqu'à la Seconde Guerre mondiale, il y a eu une considération pour les hommes au gros ventre, les femmes grasses, les enfants potelés. On les croyait capables de mieux résister à la maladie. Des personnes étaient connues et admirées pour le nombre d'escargots qu'elles étaient capables d'avaler, pour leur « coup de fourchette » à table. En milieu rural, les ouvriers agricoles, dont les portions étaient sévèrement mesurées par les fermières, se payaient pour la fête un repas qui leur laissait les oreilles écarlates et les obligeait à desserrer la ceinture. Il existe des restes de ce désir de mettre en réserve. On offre ici, encore – chez les particuliers, plus du tout dans les restaurants qui se sont mis à la mode fine-bouche des petites portions et du service à l'assiette –, de gros repas interminables, plus que copieux.

Au jeu de loto, celui de « quine » et des soirs d'hiver, au nombre 70, quelqu'un dans l'assistance, toujours, crie : « L'année terrible où l'on mangeait du rat. » Il s'agit d'une allusion à l'année 1870. De ce temps, terrible d'ailleurs pour bien d'autres choses, ce qui frappe les imaginaires c'est la faim mordante, capable de faire consommer de la chair immonde.

Même les sociétés occidentales, oublieuses et trop nourries, regardent s'activer les

« plus grands mangeurs de tripes » et les temps anciens des disettes endémiques se réveillent.

C'est contre la mort, encore, au-delà du goût, que les épices furent si prisées. Sel et poivre – les plus ordinaires – empêchaient la putréfaction de la chair. Plus anciennement, elles avaient servi à l'embaumement. C'est bouilli dans une soupe aromatique et bourré de thym et de laurier que le corps de Raymond VI de Toulouse remonta les rivières de son comté, le Tarn et la Garonne, vers le lieu de sa sépulture. Ainsi faisait-on au XIIIe siècle. Ainsi, et plus efficacement encore, avait-on procédé en Egypte. En ingérant les épices on se conserve, non pas véritablement vivant, mais capable de traverser la mort, de s'éterniser en quelque sorte.

C'est non seulement à notre propre mort que la nourriture nous confronte mais à celle des bêtes de bouche, nécessaire et tragique. Le bœuf débité de Goya le proclame avec une évidence sanglante.

Les végétariens, qui sont de grands mythiques, la refusent, évitent donc de l'avaler et se préservent ainsi doublement : de leur mort corporelle et de la mort morale d'avoir commis un acte de violence. Les autres, les mangeurs de viande l'acceptent pour les mêmes raisons. Afin de se conserver, ils consomment la chair et proclament légitime la mort des animaux.

Toutes les croyances alimentaires participent du même désir de se protéger des maux et du mal ultime. On n'achète que du bio, des produits « naturels », on fréquente tel « petit marché » et des paysans qui ne « trafiquent » pas leurs légumes, leurs volailles ou leurs œufs. Cela rassure et, en apaisant les craintes, permet de se nourrir sans crispations d'estomac. Animés de cette foi, les croyants avalent sans sourciller de la propolis – carrément immangeable – , du riz complet – récalcitrant – , des céréales exotiques venues de pays à grande longévité, du « tofu », fromage si l'on veut, des escalopes végétales et un pain avec lequel il est difficile de pomper la sauce. Chez les croyants non pratiquants de cette religion se recrute une clientèle qui prise les mots « à l'ancienne », « comme autrefois », « vieilles recettes », « campagnard », « à la main ». Il s'agit de manger en confiance et la confiance est accordée à une société ancienne, dont la date est bien vague et se définit par : « avant ». Pratiquants et croyants, quel vivier pour les attrape-nigauds !

C'est un mouvement du même ordre, la méfiance, qui a longtemps éloigné les sociétés des mets exotiques ou trop inconnus. L'exotisme, aujourd'hui, est entré dans les cuisines avec les produits du bout du monde. Reste ce que, dans les diverses sociétés, on n'a jamais mangé, grenouilles et escargots pour certains. Qui oserait le gros ver blanc des vieux troncs, le cossus que les Romains jugeaient « morceau délicat » ? Et les sauterelles qui ressemblent aux crevettes, ou les mille-pattes et les fourmis qu'un Québécois, à Sainte-Adèle, spécialiste de cuisine à base d'insectes, proposait comme garnitures de pizza ?

Il n'y a pas si longtemps, les gens du Massif central se méfiaient du poisson vendu par les poissonniers. Cette chair trop différente et si facilement altérée, ils ne la toléraient que salée ou seulement s'ils l'avaient pêchée eux-mêmes. Beaucoup refusent encore les coquillages crus. Les épidémies de typhoïde, dépassées mais présentes, les salmonelloses, récentes, ne sont pas près de faire cesser les répugnances. En revanche, les habitants des bords de mer attribuent à ce qui vit dans l'eau salée et à l'eau salée elle-même les vertus vivifiantes de la mer. Ils boivent, comme un élixir de force, la gorgée de l'intérieur des moules ou des huîtres.

Devant tout ce qui est différent de nos habitudes alimentaires, nous naviguons entre une curiosité pleine de réticences et un refus délibéré. Entre les deux, il y a place pour tous les mythes.

Le sacré, lui, enveloppe la totalité de la table et du manger d'avant la table. Comment le sang, le foie, le cœur, venus de cet intérieur que les hommes avaient vu se fendre, chez les bêtes, comme chez la femme pour donner un autre être vivant, n'auraient-ils pas été sacrés ? Au point, parfois, de ne pas les consommer afin de les offrir aux dieux ? Magie, sacré ancien de religions mortes, sacré de religions vivantes, sont semés à l'état de vestiges, dans les rites qui entourent la nourriture.

On accordait au pain le pouvoir de purifier. Sur les causses où l'eau filait sous terre et ne demeurait que sous forme de mares, de trous de rochers remplis par l'averse, une pratique de bergers consistait, avant de boire, à tremper dans ces eaux un bout de pain. Quelques gouttes de vin assuraient aussi que l'eau était débarrassée du mal. Reliquat des anciennes offrandes aux dieux des sources et des rivières.

Ici, on a coutume d'ébouillanter les champignons avant de les cuisiner. Juste jeter sur eux de l'eau bouillante. Je crois bien qu'il s'agit là d'un exorcisme, autant que les libations de pain ou de vin. Lorsqu'un gibier – d'élevage presque toujours – ou une viande de boucherie – à l'état civil inconnu – sont cuits à la broche, n'y a-t-il pas là un apprivoisement par le feu ? Une sorte de brûlant baptême ?

Magie, encore, c'est-à-dire croyances primitives et venues de quel océan de millénaires, ces nourritures dites aphrodisiaques. Mais comment la force de vie – Éros – ne serait-elle pas augmentée, comme la santé, par la bête ou la plante ? Ginseng, persil, gingembre, glandes reproductrices, crêtes de coq, si joliment nommées *sweet-meal* par nos voisins. Doux manger, nourriture de couette, placebo de virilité.

Le pain, mis à part le geste de magie protectrice, est pour nous tous baigné de christianisme.

Mon père n'aurait jamais entamé une flûte sans la signer de la pointe du couteau. Il nous reprenait si nous le posions à l'envers ou si nous le faisions tomber par terre. C'est parce qu'il était sacré, signe même du Christ se donnant comme pain qu'il fallait le révérer et ne jamais ni le jeter ni le malmener.

La table préparée, où la miche occupe la place centrale, est une sorte d'autel, ou l'autel une table, plus symbolique mais reconnaissable. Cène, pèlerins d'Emmaüs, manne du désert sont présents dans les repas, dans la prière fondamentale du *Notre-Père* et au cœur des miracles. Il est éclairant, pour confirmer le sacré de la nourriture et de la table, que le premier miracle du Christ ait lieu au cours d'un repas et plus éclairant encore que ce soit Marie qui s'aperçoive que les hôtes manquent de vin. La femme est une observatrice attentive et souvent critique des repas auxquels elle est conviée.

Les prodiges alimentaires, nombreux dans la Bible, fourmillent dans la légende dorée. Ils sont souvent à base de pain. Celui amené par des corbeaux aux ermites, ces pains inépuisables de Marie l'Egyptienne. Avec les treize desserts, c'est tout l'Évangile qu'avalent les Provençaux pour Noël. Et le blé de la Sainte-Barbe, né à contre-temps du 3 décembre à Noël, a le pouvoir, en pleine morte-saison, de féconder la terre. Les vieux rites agraires traversent le christianisme.

Le maître ou la maîtresse qui reçoivent ne sont pas loin de jouer un rôle christique. Ils président, observent, s'oublient eux-mêmes pour le bonheur des invités.

La cuisine navigue sur une ligne verticale qui va des fourneaux au ciel, tout au long de ce mystère qui lie les choses élevées et la terre. Sur les vapeurs, les odeurs, la fumée – ou fumet – se côtoient, se croisent, s'équilibrent le profane et le sacré, Éros et Thanatos.

Les sociétés et leurs modes enveloppent le tout, variables, passagères mais toujours présentes.

Bien des rites de passage se manifestent par la consommation. Souvent il s'agit de manger un mélange inconnu, signe même d'un changement d'état.

La soupe traditionnellement servie aux mariés dans leur lit – ils l'attendent et se prêtent au rite – est censée être absorbée après l'accomplissement de l'acte sexuel qui valide le mariage, civilement comme religieusement. La jeunesse fait irruption dans la chambre, interpelle les époux à base de plaisanteries salées. Dans certaines régions, il s'agit de faire manger une soupe à l'ail afin de relancer l'ardeur amoureuse. Dans d'autres, à l'heure actuelle – cette pratique reste très vivante en Aveyron –, on présente un pot de chambre rempli de vin blanc où nage du chocolat fondu. L'aspect répugnant, le récipient évoquent de manière triviale, presque violente, la fin de toute nourriture. Et il faut manger et boire cela ! Mais derrière la grossièreté, le symbole est fort. La jeunesse est finie. Son pain blanc, c'est terminé. Il faut entrer dans la vie conjugale dont le pot de chambre et son contenu ne cachent pas qu'elle sera une réalité dure à avaler.

Chez les scouts, la totémisation s'accompagne de l'absorption d'un mélange d'éléments très comestibles mais méconnaissables. Biscuits trempés devenus bouillie informe, blanc d'œuf comme liant, confiture, quelque limace ou insecte. Rien qui empoisonne, tout qui répugne. D'avance l'épreuve est acceptée, le nouveau prétendant affirme en mangeant sa confiance dans le groupe. Seulement après, à la fin des épreuves, il reçoit le nom choisi pour lui.

Il en est de même de l'adolescent auquel pour la première fois on offre le verre de vin, le couteau aiguisé. Il peut enfin manger à la table des hommes.

Nous avons été remplis d'un terreau d'imaginaire par les sens, tous liés au goût, et par le sens, la signification. Et nous ne cessons de l'alimenter.

Il nous dépasse, il est profond, il plonge dans les grottes anciennes d'avant la poterie, d'avant le feu. Il nous lie que nous le voulions ou non, conscients ou non, à l'Histoire en marche, à la nôtre petite et présente, tremblante de l'aventure personnelle, pleine de délices, de peurs et d'espérances – délices de la bouche, peurs de la bouche, espérance qui est gourmandise. Il est pétri de nos morts, depuis longtemps retournés à la terre, de nos idéologies, de nos idéaux, des êtres aimés de l'enfance qui tient une place privilégiée car elle paraît avoir duré longtemps et c'est juste, elle a duré, puisque le temps n'avait pas commencé à couler.

Nous sommes des mâcheurs de mythes, des avaleurs de rêve, des consommateurs de paysages et de pays, des ruminants de mémoire.

Et ce qui nous remplit est inépuisable, augmenté sans cesse, repoussé, oublié, rappelé par une odeur, une saveur. Cela aide à tenir debout. Avec la table, je suis en continuité avec ceux qui depuis l'aube des temps chassèrent, broyèrent la racine, cueillirent le fruit sauvage, ramassèrent l'escargot afin que ce soir, demain, après-demain, tous trouvent de quoi apaiser leur faim, rassasier et donner douceur au corps comme au cœur, afin qu'il existe au moins un lieu et des temps suaves et fragiles, contre la furie du ciel, le monde en désordre, le malheur des âmes et la fin de toute vie.

DU MÊME AUTEUR

Aux Éditions Albin Michel

PAROLES DE GOURMANDISE, 1998.

DU CÔTÉ DES HOMMES, 2001.

ENFANTINE, 2002.

ANNÉE BLANCHE, 2003.

Chez d'autres éditeurs

NOUS LES FILLES, Payot, 1990.

LES ENFANTS DU BAGNE, Payot, 1992.

JE NE DOIS PAS TOUCHER LES CHOSES DU JARDIN,
    Payot, 1993.

QU'A-T-ON FAIT DU PETIT PAUL ?, Payot, 1996.

PETIT TRAITÉ ROMANESQUE DE CUISINE, Payot,
    1997.

QUATRE TEMPS DU SILENCE, Payot, 1998.

NOUVELLES, Climats, 2003.

Composition IGS-CP
Impression Bussière en décembre 2004
Éditions Albin Michel
22, rue Huyghens, 75014 Paris
www.albin-michel.fr

ISBN 2-226-15512-0
N° d'édition : 23240. – N° d'impression : 045182/4.
Dépôt légal : novembre 2004.
Imprimé en France.